JN138884

星言葉

Haresaku Masahide
晴佐久昌英

女子パウロ会

星言葉

まえがき

ふと気づいたら、この星に生まれていた。

あまりにも美しく、何から何まで不思議な星。見るもの聞くもの珍しく、感動したり驚いたりしながら生きてきた。

ぼくは、この星が好きだ。だから、もっとこの星をよく知りたいし、この星と深く交わりたい。もっとこの星に生まれた仲間たちと出会いたいし、この星に生まれた喜びを味わいたい。単に欲深いのかもしれないけれど、そうしないではいられないのだ。何をするにしても、より深く、より素敵にやりたいという気持ちが、習慣のように働いてしまう。

「見る」なら、ありのままをきちんと見たい。「聞く」なら、耳を澄ませてとことん聞きたい。毎日の生活の中での何気ない「食べる」「語る」「遊ぶ」「愛する」をもっとちゃんと楽しんで、この星を悔いなく充分に生きたい。

そんな思いを、この星に生まれた仲間たちと分かち合いたくて、この本を書いた。この星の言葉には、力がある。疲れたとき、迷ったとき、いちばん大切なことを見失いそうなときにこの本を開けば、きっと何かいいことがあるはずだ。ぼくはそういう、この星の上の不思議なご縁を信じている。

装幀――菊地信義

もくじ

愛する

人は人を「愛する」ことができるのだろうか。

強く抱きしめて「愛している」ということはできる。愛をこめて物を贈ることもできる。愛しているつもりだからこそ、その人のために懸命に働きもする。

しかしそれらが本当に「愛する」ということなのだろうか。

妻を愛していたつもりの夫が、定年後に突然離婚したいといわれて呆然とするというケースが増えている。妻はきっぱりという。

「あなたはわたしを愛しているつもりでも、わたしは愛されていなかった。わたしたちは偽の夫婦だった。これからは本当の人生を歩みたい」

それじゃあ、あの日告げた愛は何だったのか。かつて贈った物は何だったのか、必死で働いてきた年月は何だったのか。そう思う夫には何が何だか分からない。それもそのはず、愛とは個々の美しい行為のことではなく、人と人が本当につながったときにおのずと流れる、エネルギーのようなものだからだ。

愛は、電流に似ている。扇風機はそれ自体では決して動かない。電気コードのプラグをしっかりとコンセントに差し込んだとき、初めて電流が流れ、涼風を送り出す。ステレオしかり、電気毛布しかり。人と人の間に流れる愛も同じこと。きちんと接続すれば愛はおのずと流れ、扇風機のようにさわやかな風を送り、ステレオのように麗しいハーモニーを奏で、電気毛布のように暖かく人を包む。何にせよ、接続していなければどんなに苦労しても愛は流れない。

オレはこんなに愛しているのに、というのは無意味だ。つながっているかいないかが問題なのだから。愛が足りないのでもなく愛し方が悪いのでもなく、接続が悪いんだと気づかない限り、夫には最後まで何が何だか分からない。

コードの抜けた夫婦、断線している親子、ブレーカーの落ちてしまったような家族がいかに多いことか。愛し合う喜びを味わいたいなら、まずはつながらなくっちゃ話にならない。相手の気持ちをよく考え、話をよく聞き合い、ぶつかりながらもどこまでも共にあろうとするとき、すなわち、きちんとつながったときにこそ、超伝導の愛が通い合う。一つの接続は別の接続を生み、そんな愛の結節点はやがて無数のきらめく網の目となって、この星を包んでいく。

会う

出会いは力だ。ちょうど、それ一つでは何の役にも立たないジグソーパズルの一ピースが、もう一つのピースと出会って意味をもってくるように、人と人は出会うことでお互いに意味あるものになっていく。愛し合うことも、助け合うことも、夢をもって共に働くことも、すべて出会いによって生まれる。出会いには、限りない可能性と力が秘められている。

そんな出会いの不思議さ、値うちに気づけば気づくほど、出会いをおろそかにできなくなる。たまたま同じクラスの中に、かけがえのない親友がいたりする。飲み屋で隣り合わせた人から、人生のすばらしさを学んだりする。旅先で偶然出会った人が、生涯の伴侶になったりする。今までの人生を振り返ってみても、まさにそんな不思議の連続ではなかったか。

考えてみればこの自分自身、両親の出会いによって生まれてきたのだ。もしあのとき、とうさんの乗った電車が一本ずれていたら、あるいはかあさんが忘れ物を思い出して駅に引き返さなかったら、二人は出会えず、今の自分は存在しなかった。いや、そもそもおじいちゃんがあの日お汁粉やさんに行かなければ、そしておばあちゃんが運んできたお汁粉をこぼさなかったら……。だれもがそんな不思議な出会いのお世話になって存在している。

そうして生まれ落ちてからこのかた、人は無数の出会いによって自分をつくってきた。両親はもちろんのこと、幼稚園の先生、隣のおばさん、初恋のあの人、バイト先の店長、悪友の数々。いい人と出会いもすれば、嫌なやつとの出会いもあった。しかし、どの出会いもすべて、今日のわたしを準備するかけがえのない出会いだったはずだ。この世に悪い出会いというものは存在しない。あるのは、その人のたった一つのすばらしい人生をつくる、不思議な出会いだけだ。たとえそのときは、その出会いに意味を見つけられなくとも、いつの日かその出会いが素敵な意味をもつと信じるならば、出会いは力になる。

今日はどんな出会いが待っているのか、わくわくして家を出よう。今日出会う人は、きっと自分の人生というパズルになくてはならない大切な一ピースにちがいない。わたしもまた、その人にとっての大切な一ピースかもしれない。

遊ぶ

海で本物のクジラを見てから、人生観が変わったという人は多い。ぼくもその一人かもしれない。大海原を回遊するその神聖な巨体を初めて目の当たりにしたとき、体がわきたつような、開放的な気持ちになった。クジラたちは広い海を自由気ままに、さもうれしそうに泳ぎ回っている。「回遊」とはよくいったもので、まさに遊び回っているとしか思えない。そんな彼らに直接出会うと、こちらまでのびのびと、人生を回遊したくなってしまうのだ。

彼らが遊んでいる姿を最もよく表しているのが、ブリーチングと呼ばれるジャンプである。ぼくがクジラに会いにいくのはおもに小笠原列島だが、ここへは春先に、ザトウクジラが出産と子育てのためにやってくる。ザトウクジラは体長約十五メートル、長い胸びれが特徴的な美しいクジラで、彼らはよくジャンプするので有名だ。ジャンプといってもなにしろ体がでかいので、海上に全身の三分の二以上を突き出して、背中からゆっくりと倒れ込むという勇壮なものである。激しい水しぶきがあがり、ウオッチング・ボートの乗客から歓声があがる。それが聞こえているかのように、彼らはブリーチングを繰り返す。

このブリーチングには諸説あって、敵を威嚇してるとか、遠くの仲間に合図しているとか、体の寄生虫を落としているなどいろいろだが、最も有力なのが「遊んでいる」説だ。実際、クジラを毎日のように間近に観察しているホエールウオッチングの案内人は、その日の遊び方で彼らの機嫌が分かるといっていたし、ぼくが見た限りでもあれは遊び、それも歓喜の表現としての気高い遊びだとしかいいようがない。そのジャンプを見ていると、彼らが地球の海に生まれてきたことに感謝し、天地万物のありがたさをほめたたえているのがよく分かる。彼らの遊びは、存在の喜びを表現するパフォーマンスなのである。

だれもが遊ぶために生まれてきたのだし、遊ぶときにこそ根源的な喜びを感じるように造られている。飛び上がるクジラや跳ね回るイルカの招きにこたえて、広々とした遊びの世界へ飛び込んでいこう。退屈に見える日常のただ中にあっても、だれだって心で回遊し、精神のブリーチングを楽しめるはずだ。そのとき人は、この星の上でクジラたちの遊び仲間になっている。

謝る

謝るのは難しい。心から謝ることに比べれば、心からゆるすことのほうがずっと易しい。ゆるすときはある意味で相手より立場が上であるのに対して、謝るときは自分の立場をまったく下にしなければならないからだ。だれにでも失敗はある。ただ、失敗したときに正直に自分の非を認め、どんな相手であれ素直に頭を下げることができる人こそ、真の意味で自由な人なのだろう。

小学生のとき、今は亡き父親からひどく叱（しか）られたことがある。忘れもしない八月三十一日。仕事に出かける前の父が、息子にたずねた。

「昌英、夏休みの宿題はやったのか？」

「……全然やってません」

この息子は夏休み中、宿題のことなどただの一度も考えたことがなかったのである。思えばのどかな時代だったともいえる。当然のことながら父は怒り、ともかく今日一日、死に物狂いで、やれるだけやれといい残して出かけた。

ところがこの息子はその日も遊びに出かけ、まる一日セミを追いかけて過ごしたのである。帰宅してそれを知った父は当然のことながらさらに怒り、平手で息子の顔を叩(たた)いた。しかしそのとき息子は、これは叩かれるほどのことではないと思い、謝りもせずに父親をにらんだのだった。それが火に油を注ぐこととなり、父は顔を赤くして息子を叩き続けた。その日は会社で嫌なことがあったのかもしれない。そのときの叩き方は明らかに常軌を逸しており、みるみる顔が腫(は)れあがった。それでも息子は謝らず、しまいに外にほうり出された。やがて母親が出てきて、黙って顔にメンタムをぬり、家に入れてくれた。

　次の日曜日。なぜか父は、ぼくを池袋の西武デパートにつれて行った。おもちゃ売り場でブロックのおもちゃを買ってくれた。最上階のレストランで、ステーキを食べさせてくれた。生まれて初めてレストランで食べたステーキがどんな味だったか、もう覚えていない。覚えているのは、レストランで向かい合って座ったとき初めて、こうして父が何をしているのかに気づいたことだ。

　父は謝っているのだった。不器用なやり方で、しかしまごころから、息子にわびているのだった。謝り方も知らないこんなバカ息子に。

生きる

同名の映画をご存じのかたも多いだろう。黒澤明脚本・監督の「生きる」である。一九五二年の東宝作品で、同年のキネマ旬報作品賞、名実共に日本映画を代表する名作だ。市役所に勤める平凡な主人公が、胃ガンであと半年しか生きられないと知って荒れるが、だれかのためになる仕事を精いっぱいやることこそ自分を救う道だと悟り、生まれ変わったように弱者のために献身的に働き始める、という内容。ストレートな題名からも分かるとおり、「生きる」ことの真の意味を追求する、実直で感動的な作品に仕上がっている。

黒澤は、この作品の背景として、自分自身の思いをこう書いている。

「僕は時々、ふっと自分が死ぬ場合のことを考える。するとこれではとても死にきれないと思って、居ても立ってても居られなくなる。もっと生きているうちにしなければならないことがたくさんある。僕はまだ少ししか生きていない」

天下の黒澤に「少ししか生きていない」などといわれてしまっては、返すことばもないが、逆にいえばたとえ少しであれ「生きて」いるのはさすがが、というべきかもしれない。ぼくらの現実には、まったく生きていないってことも、ごく日常としてあるのだから。映画「生きる」が訴えているのはまさに、そんな我々に対して、ただ食って寝て漫然と働いているだけで「生きている」といえるのかっていう、真正面からの問題提起なのである。

ぼくたちの生活は、朝「起きて」顔を「洗い」、コーヒーを「飲んで」家族と「話す」というように、無数の動詞を生きていくことにほかならないが、ただ漫然と「見」たり「聞」いたりしていても、本当に動詞を生きていることにはならない。見るなら偏見なしに自分の目できちんと見、感じるなら自由に純粋に感じたい。働くならまごころこめ、誇りをもって働きたい。そうして一つ一つの動詞を熱く豊かに生きてこそ、初めて「生きる」といえるのだと思う。

今、この文章を「座って」「読んで」いるあなたは、何を「考えて」いますか。「これではとても死にきれない」という黒澤のことばを、どう「感じ」ましたか。今「生きている」かと「問われ」たら、なんと「答え」ますか。本を「閉じ」、「立ち上がって」、次の動詞をどう生きますか？

歌う

泣いたり笑ったりの人生にいつもうたがあり、うたはどんな親しい友人よりも身近に、苦楽を分かち合ってくれた。幼き日に耳元で聞いた子守歌。仲間とギター片手に歌った青春の日々。傷ついた夜にカーラジオから流れてきたヒットソング。うたはもはや、自分の体の一部だといってもいい。

人はなぜ、歌うのだろう。太古の時代から昨今のカラオケ全盛期まで、あらゆる地域のあらゆる民族が、あらゆる機会に歌い続けてきた。人が、ことばにリズムを付け、メロディーに乗せ、ハーモニーを重ねて歌うことをこんなに愛するのは、なぜだろうか。

たぶんそれは、宇宙そのものがうただからだ。宇宙の時間を打つリズムと、宇宙の歴史を奏でるメロディー、そして宇宙の空間に満ちるハーモニーの幸福な三位一体によって、宇宙は今も歌っている。「ふく風たつ浪の音までも　念仏ならずといふことなし」と謳（うた）った一遍上人には、素粒子の鼻歌から、星雲の大合唱まで、あらゆる存在が歌っているのが聞こえていたはずだ。

クジラもうたを歌う。なかでもザトウクジラのうたは、ちゃんとフレーズがあるので有名だ。なぜ歌うのかは「科学的」には分かっていないらしいが、それは当然だろう。海の王者が潮流を伴奏に宇宙賛歌を歌っている理由など、今の分析科学で理解できるはずはない。このクジラのうたを録音したディスクを、宇宙人へのメッセージとして、宇宙探査機にのせて太陽系の外へ送っている博士がいるが、そのセンスこそまさしく「うたごころ」だろう。

人が歌うのは、人そのものが宇宙の歌ううたであり、歌うことで宇宙のうたと響き合いたいからだ。めぐる星座のリズム、進化の歴史というメロディー、自然界の調和というハーモニーの中でこそ、人は本当のうたを歌うことができる。そのとき初めて「わたしとあなた」も、響き合えるのだ。

いつもくちびるにうたを。つらいときでも、心にうたを。わたしがわたしらしく輝いて生きるとき、わたしといううたは、壮大な宇宙の合唱組曲の中のかけがえのない一パートとして、美しく響きわたる。

生まれる

あらゆるものは、生まれてきた。虚空から突然出現したものは何一つない。星にも誕生があり、のら犬にも誕生日がある。目には見えない勇気や希望だって「生まれる」ものであり、無から沸き起こるわけではない。すべてがそのように「生まれたもの」であり、生み出す源を前提としているという事実は、全存在の意味を根底から支えている。生み出す側の「望み」がなければ、羽虫一匹でさえ生まれてくるはずがないからだ。「生まれた」ということはイコール「望まれた」ということであり、このわたしも例外ではない。

子供のころ、ベッドに入ってから真っ暗な天井を見つめ、「ぼくはどうして生まれてきたのだろう」と自問したものだ。この小さな哲学者の問いにうまく答えるすべを、ぼくはいまだに持ち合わせていない。しかし、一つだけ、はっきりいえることがある。それは「ぼくは望まれて生まれてきた」ということだ。それも単に親の望みのことではなく、この世界のいちばん根源にあるといえるような望み。そしてたぶんそれだけが、存在の意味だ。

人が一人生まれるためには、そのために必要なあらゆる要素が、その誕生をうながす悠久の磁場の中で寄せ集まり、奇跡のように組み合わされていかなければならない。どんなに小さな一人でも、その誕生は実は天地創造の初めから用意されており、ふさわしい瞬間に大きな祝福を受けて生まれるのだ。その事実をどれだけ深く味わえるかで、生きる喜びの深さも変わる。

だれ一人自ら望んで生まれてきた人はいない。しかし、だれ一人望まれずに生まれてきた人もいないのである。この星に生まれたすべての仲間が、そのような「望まれた」という出発点をもっていることを心から喜び合いたいし、すべての仲間がそのことに気づくように祈ってやまない。

自分の誕生には、自分に一切責任がない。気がついたら生まれていたのだから。ぼくは、この事実に限りなく安らぎを感ずる。人は、自分の誕生の意味についてあれこれ悩む必要はない。意味を与えるのは生み出す側なのである。

ただ一つ、生まれてきたものとしての責任があるとするならば、ひとこと、こういえるかどうかだけだろう。――「生まれてよかった」と。

選ぶ

時々自分が、よくいうところの「決断不能症」ではないかと思うことがある。たとえば、ファミリーレストランでメニューを選ぶとき。おいしそうな写真のメニューがずらりと並び、目移りしてなかなか一つに決められない。(たまにはうなぎもいいな、でもこのカレーもおいしそうだな)などとページをパタパタめくっているうちに、非情なウエイトレスがするすると近寄ってきていい放つ。「お決まりですか」。そうなるともう、頭は真っ白である。思わずあらぬメニューを口走り、彼女が去ってから、しみじみと後悔する。

思うに、決断できないときというのは、多くの選択肢の中から一つを選択する「根拠」がないときだ。根拠さえあれば、選ぶのも簡単になる。(最近疲れ気味だから、なるべく栄養価の高いものにしよう)とか(今は金がないからいちばん安いので我慢しよう)などと、迷いも少なくなる。素敵な根拠をうまく見つけることが、素敵な選択をするコツだといえる。

もっとも、これがメニュー選びなんてことならば、悩もうが間違おうが別にどうということはない。しかし人生には、決断不能症などといっていられないような大切な分かれ道が無数にあり、そんなときには、迷わず結論を出せる根拠をもっていることは、大きな力になるはずだ。そしてその根拠も、素敵であればあるほど、良い選びができる。おそらく古今の聖人と称される人は、何かするときに、最も素敵な根拠によって最も優先順位の高いことを、ごく自然に選べる人たちなのではないか。

「おやじのいうとおり安定した大会社に入るか、自分の夢を大事にして映画作りを続けるか」「けんか別れをしたあの人とこれっきり会わないか、仲直りの電話をかけるか」「会社帰りに飲み屋につきあうか、早く帰って妻とゆっくり食事をするか」「手にした空き缶を道端にポイ捨てするか、もち帰るか」

人生観をはじめ、人間関係から環境問題に至るまで、大きな決断、小さな決断をするために、いちばん大切なことをいちばん大切にできるような素敵な根拠が必要だ。人生というレストランで、いつでもそんな根拠をもって自分もみんなも喜べるごちそうを自由に選び取れたら、最高に気持ちいいはずだ。

老いる

老人という呼び名は、あまりにマイナスイメージがつきすぎていて、あの年代特有の本質的に解放されたあり方を表すのにふさわしくない。小人、大人、ときたのだから、次は「超人」とでも呼ぶべきだ。すなわち、まだ体が小さく心も成長過程なので、小人。体が大きくなり心もできあがって、大人。ならば、肉体の大小優劣を超え、できあがった心も超えて真の自由と真の知恵を獲得する年代を超人と呼んでも、それほどおかしなことではないだろう。

実際、老人＝超人は、その豊かな経験によってこの世の常識や価値観を軽やかに超越しているので、それらに常に縛られている小人や大人の理解を超えているし、時には思いもかけぬ伸びやかな風を吹き込んでくれるのである。

若いころは、何でも自由に好きなことができるのが幸福だと思っている。健康で好きな所へ行き、好きな仕事や遊びができることを自由だと思っている。しかし超人は、どんな状況下でも、自らがあるがままに由(よ)って幸せでいられることこそ真の自由であると知っている。だから、超人にはこだわりがない。

若いころは、人の役に立ち、評価されることが大切だと思っている。そのために膨大な時間と労力を注ぎ、他人の評価に一喜一憂している。しかし超人は、一見何の役にも立たないこと、だれにも評価されないことのうちにこそ、大切なことが隠されていると知っている。だから、超人のまなざしは優しい。

若いころは、真理を追求し、正義を実現することが重要だと思っている。そのために他者の過ちを責め、不正を許さない。しかし超人は、しばしば真理が別の真理と争いを生み、不正を許さないその当人が不正に荷担してしまっていることだってあるのを知っている。だから、超人は人を裁かない。

超人のいる家庭は幸せだ。目先のことに囚(とら)われて気持ちがバラバラになってしまっている家族なんかにとっては、何がいちばん大切かをよーく知り抜いている超人こそが救い主だ。たとえば成績が悪い子供を両親がこっぴどく叱っているときなどに、部屋の隅から親に向かって「その子を授かったとき、おまえたちよくいってたよねえ。『どんな子でもいい、元気に育ってくれさえすれば』なんてねえ」などといいだす、おばあさん。超人は、ユーモアも知っている。

怒る

旅先から重いバッグを提げて疲れて帰ってきた深夜、駅前からタクシーに乗った。行き先を告げると明らかに嫌な顔をして「困るんだよね」という。確かに一区間じゃたいした儲(もう)けにはならないのだろうが、こちらとしては別に悪いことをしてるわけではない。「いいから出してよ」というと、舌打ちして猛スピードで走りだした。着いてから千円札を出すと、また「困るんだよね」という。腹が立ったのでつり銭も受け取らずに降りてしまった。怒って損した。

人はなぜ怒るのか。それは自分の思うとおりにならないから。小さな子どもを見ればよく分かる。おもちゃを取られたといって怒り、欲しいものを買ってくれないといって怒る。それらはすべて、何もかも自分の思いどおりになるべきだ、自分は最も大切にされるべきだという、途方もない自尊心から発生する。しかし彼はやがて、世の中は自分の思いどおりにならないものであり、自尊心を上手にコントロールしないと怒りが治まらないことを学んで、大人になる。

なったはずなのに、運転手は自分の思いどおりの客が来ないと不機嫌になり、客は客で尊敬されないと腹を立てる。客は自分が王様のように扱われるべきだなどと思い込んでいるから、そうでない現実に怒るのである。本来なら、ちょっとくらい態度が悪くたって、安全に目的地まで運んでもらったことに感謝するべきなのに。運転手にだって、こちらのうかがい知れぬ都合があるかもしれないのだし。自尊心は、人を突然小さな子どもに戻してしまう。

よく怒る人というのはすなわち、自分の限界や相手の立場を考えず、自尊心ばかり肥大している人である。よく怒る親は、自分の親としての非力さを認めず、自分は立派な親だと信じこんでいる。だから子どもが思うとおりにならず「立派な親」像が壊されると、怒り狂う。なんて悪い子なんだろうと、子どもを責める。親の勝手な自尊心につきあわされる子どもこそ、いい迷惑だ。

思わずカッとしたり、ムッときたりしたときは、原因は相手でなく自分の自尊心にありと心得るべし。夫婦げんかに至っては、自尊心の傷つけ合いみたいなもの。相手を思いどおりにしようとするうちは、決して怒りは治まらない。思いどおりに操らなければならないのは、自分の自尊心のほうなのである。

恐れる

愛の反対語は憎しみではない。憎しみは屈折した愛だからだ。
憎しみすら感じない無関心こそ愛の反対語だという考え方もある。しかし、
それでは関心があれば愛が働くかというと、そうとも限らない。
愛の対極にあって、愛の働きを封じる力、それは恐れだ。恐れこそ、自らを
闇へ封じこめ、人と人を限りなく隔ててしまう、愛の完全な反対語だ。
恐れは誤解を生み、猜疑心（さいぎしん）を育て、時に人を悪魔的存在にしてしまう。
かつて東西の冷戦を支配していたのは、恐れだった。東の恐れがベルリンの
壁を造り、西の恐れがベトナムで戦争を始める。恐れは更なる恐れを招き、国
内では相互監視システムだの秘密警察だのといった抑圧と暴力を生み出し、国
外に向けては過剰な核ミサイルを配備して緊張が高まっていく。
しかし、人々が自らの恐れに打ち勝ち、連帯して自由を叫んだとき、独裁は
崩れ、壁が消え、冷戦は終わった。それも、いともあっけなく。戦うべき敵は

束でも西でもなく、自分自身の恐れだったのだ。

外国の話ではない。自分の現在が知らぬ間に恐れに支配されていることに気づいているだろうか。他人を恐れて自分らしさをなくし、変革を恐れて閉じ込もる日々。恐れによって生まれる過剰反応や、つまらない疑いと争いの数々。いったいぼくらは何を恐れているのだろうか。

「幽霊の正体見たり枯れ尾花」という。夜道を歩いていて突然ふわりと揺れる影。思わず「出た……」と叫んで腰を抜かし、しかしよくよく見ると、風に揺れるすすきの穂でした、という意味だ。すすきに罪はない。人が自分で勝手に恐ろしげな幻影を作りだし、自分で勝手におびえているのだから。その恐れのために、どれほど自分を見失い、どれだけの愛を失ってきたことだろう。

恐れずに人と向かい合いたい。内なる国境の鉄条網を取り払って、歩きだしたい。そうして初めて、一緒にいても遠かった人と出会えるのだ。その出会いの喜びは、さらに恐れと戦う力を与えてくれる。この世に克服できない恐れは一つもない。すべての恐れは、自分で作っているものなのだから。

あなたの恐れが、あなたの孤独だ。

泳ぐ

学生時代、体育館の地下に、いつでも使える温水プールがあった。ぼくはそれまでほとんど泳げなかったので、いい機会と思い、練習を始めた。

ある日の夕方、クロールに挑戦していると、一人の難しい顔をした老人が近づいてきて、こういった。

「だめだ、だめだ。そんなの泳ぎじゃない。教えてやるから、毎日来い」

ぶしつけな話し方に戸惑ったし、このじいさんに何ができるかって気もしたが、これも何かの縁と思って、教わることにした。

なるほどじいさんは泳ぎがうまかった。教え方もとびぬけてうまかった。ぼくはみるみる上達し、クロールでスイスイと一キロ泳げるようになった。

このじいさんが有名なY名誉教授で、日本水泳界の重鎮だと知ったのは、しばらくしてからである。日本水泳連盟の指導員第一号であり、戦後しばらくはオリンピック選手をコーチしていたと聴いて、ボーゼンとした。

Y教授の指導の基本は、単純な、たった一つの教えにあった。

「力を抜け」

これだけである。初めのうちは、力を抜いて浮く練習ばかり、徹底してやらされた。来る日も来る日も、ただ浮くだけ。けれども、水の中で本当に力を抜いてすべてを水にゆだねられるようになってから、自由に泳げるようになった。人は全身の力を解き放ってやれば、だれでも浮く。あとは必要な筋肉の最小限の力で、最も効率よく水をかいてやればいい。泳ぐとはそれだけのことだ。

ところが、水に入ると人は緊張して、それだけのことがなかなかできない。気持ちばかり先走って、全身ガチガチにして泳いでしまう。「泳げない」のではなく、「自分の力が、泳ぐのを邪魔(じゃま)している」のである。

人々と共に生きていくなかで、ぼくらは知らずに緊張している。溺(おぼ)れまいとして、硬直した手足を必死に動かして疲れ果てている。自分の力みが、人と共にあってのびのびと生きる喜びを邪魔しているのだ。

まず、力を抜くこと。だれを前にしても、力まずにありのままの自分をゆだねること。生まれつき泳げる人はいないのだから、まずは浮く練習から。

書く

中学二年のときから、日記を書き始めた。大学ノートに、どんなに眠くとも一日一ページと決めて、ひたすら書き続けた。二十代後半にいよいよ忙しくなってやめるまでの間の、最も多感で果てしなく非常識で、驚くほど自分が変化していった十数年の記録は、四十数冊の日記帳として今も手元にある。

たまに何かの必要があって読み返してみると、これが死ぬほど恥ずかしく、しかしそれ故にたまらなく面白く、そのまま夜が更けるのも忘れて読みふけったことが何度あったか。なんてったって、そこに書かれているのはほかならぬ、うそいつわりのない自分自身なのである。愛を求めてのら犬のようにさまよう少年。自分の力を試そうとして愚かな事件を繰り返す幼い冒険家。誇大妄想のような夢と理想を書き連ねる空想家。そこには、とことんバカでスケベで身勝手な一人の若者が、泣いたり笑ったり舞い上がったり落ち込んだりしながらも一日一日を必死で生き抜いていく姿がある。時に恥辱に満ちたその内容に辟易(へきえき)

して焼き捨てたくなりながらも、ぼくは感動する。たった一人の自分という人間が確かに生きて、他に二つとない自らの歴史を作っていることに。

　たった一人の自分の、二つとない人生。その日々をいとおしむ気持ちが、日記を書き始めた動機だった。一冊目の表紙には、ちゃんとタイトルまでついている。題して『あの日、そのとき』。NHKの番組みたいで赤面ものだが、そう記した中学生の気持ちははっきり覚えている。要するに、愉快で感動的なこの毎日がただ過ぎ去ってしまうことに、耐えられなかったのだ。出くわした不思議なできごと。めぐり会った素敵な人々。恥ずかしかったこと。傷ついたこと。だれにもいえない悩み。すべてを書き留めずにはいられなかったのである。書くことで、初めてその一日が意味をもつような気がしたのである。

　どんな文章であろうとも、それを書けるのはこの世に自分しかいない。自分だけが孕(はら)みうる、この星でたった一つの自分のことば。もし今、このわたしが生み出さなければ、未来永劫(えいごう)存在しないことばの数々。時に苦しい作業ではあるけれど、脈拍も体温もある生きた文章を生み出したときの喜びは大きい。もしかすると、そこで生まれているのは自分自身なのかもしれない。

語る

神父のところにはさまざまな人が相談にやって来る。病気に苦しんでいる人、人間関係に悩んでいる人、自分に自信がもてず落ち込んでいる人。最初は何から話していいかというふうに口ごもっているが、やがて一気に話し始める。過去がいかにつらかったか、未来がいかに不安かを分かってもらおうと、熱心に語り続ける。大したアドバイスもできないので、ぼくは聞き役に徹し、「はあ」とか「ほお」とか「それはつらかったでしょう」などと相槌(あいづち)を打つ。語るうちに涙をこぼす人も多く、こちらもつられて思わず涙ぐむこともある。しかし、一通り語り終えるとだいぶ晴れ晴れとした感じになり、「でもまあ、もう少し頑張ってみます」というようなことばも出てくる。たぶん神父は、その一言を、本人が自分自身で語れるようになるお手伝いをしているのだろう。

どんな人にも、その人を支えるような素敵な物語が必要だ。どこで生まれ、どんな親から愛され、どのように育ち、どんな試練を越えてどんな未来へ向かっているのか。押しつけられたストーリーではなく、その人にしか語れない、その人を救う聖なる神話がなければ、この混沌（こんとん）とした人生を心安らかに生きていくことはできない。問題は、それを自分自身で語らねばならないという点にある。いくら助言者が、あなたの人生は無意味じゃない、あなたには価値があるといったとしても、最終的には本人自身が私の人生はすばらしいと語れない限り、決して悩みも不安も解決しない。すべてその人しだいなのだ。

まったく同じ交通事故にあって同じケガをしたとしても、「なんてついてないんだろう、やっぱりバチが当たったんだ」と語る人と、「死なずにすんだのは奇跡だ、これからの人生を大切に生きよう」と語れる人では、人生の意味が天地ほど違ってくる。「昨日までの苦難は、すべてすばらしい今日のための準備だった」「今日のこの悩みも、私の人生のかけがえのない一瞬だ」「明日はきっといい日だ、私はいつも新しく生まれ出る」。人が自分の人生を、たとえ何があっても前向きに素敵に物語ることは、人の存在理由そのものだ。

客観的な物語なんて、どこにもない。私が「この世は闇だ」と語ればこの世は闇であり、私が「今ここが天国だ」と語れば、今ここが天国になる。

感じる

学校は、考え方は熱心に教えるけれど、感じ方についてはどうなのだろう。感じる力の重要性を教え、実際に感じる喜びを育(はぐく)む授業はあるのだろうか。読み方書き方計算の仕方、歴史の見方や科学の方法といった「頭で考える力」と共に、存在の神秘やできごとの意味、愛の力や他人の痛みを「心で感じ取る力」を養い育てることは、教育の根源的課題であるはずだ。

感じる力をなおざりにして、考える力だけを育てると、どうなるか。

その一　限りなく一般論に近づき、オリジナルな思考やユニークな発想が生まれない。考えるとは、ある特定の枠組みの中で論理的な結論を得ることでしかない。偉大な発明をした科学者や独自の思想を打ち立てた哲学者は、考える力以上に、自分や宇宙をオリジナルに感じ取る力に優れていたのである。

その二　孤独になる。考える力とは抽象する力なので、生身の人間と向かい合うときにはあまりに無力だ。考え方が同じだからといって心が通い合うわけでもない。自己の存在の重みを感じ、具体的な相手の生きる世界やその気持ちを感じる力だけが、深いところで人と人を結ぶのである。

その三　その一とその二の結果、生きる喜びがもてない。オリジナルな自分が空疎で、他人との共感が希薄なのだから当然だろう。自分自身がどう感じたか、それをどう表現するかがその人らしさのすべてであり、「人間」の喜びや感動は、そんな個性あふれる「人と人の間」にこそ生成するのだから。

学校というところは、そもそも「感じ方」などという公式のないことは扱えないのだ、という議論も成り立つ。しかしそれなら、学校とはいったい何をするところなのだろう。考えることと感じることは本来、切り離すことのできない、人間らしさの象徴であるはずだ。そんな人間らしさをもたない若者が増えているとするならば、その原因の多くは、感じる教育の欠如にある。

子供の教育には、どれほど時間と労力とお金をかけても惜しくないと思う。それが、感じる能力を養う教育であるならば。すなわちたった一人の自分としてこの世界に生まれた喜びを感じ、もう一人のだれかと出会う感動を感じられるような、当たり前の感性を育む教育であるならば。

聞く

ある女子高校生からの手紙。

「わたしが友人関係でひどく悩んで落ち込んでいたとき、母に相談しました。母は黙って聞いていましたが、しばらくしてからこんな手紙をくれました。『お母さんに打ち明けてくれてありがとう。お母さんは何にもしてあげられないけれど、お母さんに話した分、苦しみは半分になると思います。これからは二人で悩もうね』。今までの人生でいちばんうれしかったことです」

子供が何も話してくれない、と嘆く親がいる。いったい何考えているのか、全然わからない。話しかけても煙たがられるばかり、反抗期なのかしら、と。

それは親が本気で聞かないからだ。ちゃんと聞いてくれない人にせっせと話す人などいない。子供は親が、自分のいうことをありのままには受け止めてくれないことをよーく知り抜いているから、話す気になれないのだ。

聞くことの専門家に、カウンセラーがいる。彼らがいかにして相手に話させせるか、そのワザから学ぶことは多い。

まず、共感すること。どんな内容であれ、その話を受け入れ、我がことのように共感する。一方的に結論を出したり、自分の考えを押しつけたりしては、共感は生まれない。だからカウンセラーは、決して説教しない。

信頼関係も重要だ。自分の話に、とことんつきあってくれるという信頼。一緒に考え、時には一緒に悩んでくれるという信頼。秘密を守り、一人の人間として尊敬してくれるという信頼。話し手と聴き手を結ぶ、大切なかけ橋だ。

子供たちは、その鋭敏な感受性で正確に、相手の聴く姿勢、受け入れる容量を読んでいる。こりゃダメだと思ったら、決して話さない。話したって、返ってくることばは決まってるんだから。

「バカなこといってないで、勉強しなさい」

「そんなことでいつまでもウジウジしてるんじゃないの」

「おまえみたいなこといったって、社会じゃ通用せんぞ」

本気で聞いてくれる親をもつことが、どれほど幸せなことか。それは「人生でいちばんうれしいこと」になるほどだ。

競う

珍しく百点を取った子供が、弾む心で家に帰ってくる。はやる気持ちを抑えて答案用紙を取り出し、お母さんの前にヒラリと差し出す。「ほら、すごいでしょ」。するとお母さん、ニコリともせずに一言、「百点、何人いたの？」。

哀れなこの子のために同情の涙を流そう。この子は学校一、いや、日本一、世界一になるまで、お母さんの喜びの笑顔を見ることはできないのだから。

考えるまでもなく、百点というのは与えられた課題をすべて満たしたということであり、それを評価するにあたって、他に何人課題達成者がいたかはまったく無関係であるはずだ。ほかの子も百点取れたことを喜ぶというなら分かるが、ほかの子も取ったのなら「大したことない」と考えるのはまさに相対評価の毒に骨の髄まで冒されているからにほかならない。

競馬の競争馬じゃあるまいし、子供たちにムチ当てて競わせて、何が楽しいのだろう。写真判定の「ハナ差」より厳密な偏差値の数値が出てくる、レースの結果は非情だ。親譲りの非力ゆえに思うように順位の上がらない哀れな子馬たちは、レースの疲れをいやす間もなく、次の出走に備えて苛酷なトレーニングに追い立てられる。レース前の不安と緊張から精神がゆがみ、友達のアクシデントを願い、ライバルの落馬をひそかに喜び、「落ちこぼれ」を蔑むという悪魔的な心が沸き起こったとしても、だれがその子を責められよう。

　勝ちゃあいい、勝つことのみが善だというなら、弱肉強食の動物界となんら変わりはない。人間のすばらしさは、勝者の陰の敗者、強者の陰の弱者をこそ大切にし、競うことよりも共に生きることを喜びとする点にあるはずだ。その、人間らしさのかなめのところが、わが子のうちにきちんと芽生えているかどうかでこそ、大いに気をもんでもらいたい。

　生存競争に勝ったものが生き残り、負けたものは死に絶えるという自然淘汰で進化を説明したダーウィンの進化論を人間の社会に当てはめ、優れたものを優先的に残して「劣ったもの」を絶滅していこうという思想を「社会ダーウィニズム」という。この恐ろしい思想からあの暗黒のナチズムとアウシュビッツが生まれて、まだ一世紀とたっていない。

嫌う

現代人の価値観の多様化、なんていえば聞こえはいいが、要はみんなの好き嫌いが激しくなっただけのことかもしれない。何も確かなものが見当たらないように見えるこの時代に、好きか嫌いかだけは大声で叫べるのだ。

「だって好きなんだもん、しょーがないじゃん」

「嫌いなものは嫌い、わたしはあんなのゼッタイいや」

しかし好き嫌いなんて、そんなに胸張っていえるようなことだろうか。少なくとも「ゼッタイ」なんて使わないほうがいい。好き嫌いほど、一見確かそうに見えて、その実いいかげんなものはないからだ。死ぬほど好きだったあの人を手のひらを返すように遠ざけたり、嫌っていたはずのパソコンのとりこになったり、見苦しいこと甚だしい。好みは、変わる。変わるから人間なのだ。そんな自らのあいまいさ、いいかげんさを見つめることなしに、無邪気に好き嫌いを振りかざして世界を切り裂いていく姿は、あまりに悲しい。

とりわけ「嫌い」は、たちが悪い。物であれ人であれ、嫌いの一言で切って捨てる。だってしょうがないじゃない、あの人、生理的に合わないのよ、などといってのける。嫌いに理由なんかない、相手のせいだと思っている。

ところが、実は嫌いに理由はある。対象が人の場合なんか、多くは自分自身の嫌な部分を相手の中に見て、嫌っているのだ。「あいつ、自分勝手だから嫌なんだよ」というその本人が、そうとう自分勝手だったりする。目立ちたがりは目立つやつを敬遠し、おしゃべりはおしゃべりを軽蔑（けいべつ）し、偽善者は偽善者を攻撃する。なんのことはない、自分を責める代わりに、他人を嫌っているだけのことだ。そうして世界は切り裂かれ、ばらばらになっていく。

人を嫌うのも人から嫌われるのも、大変なエネルギーがいる。まったくもって非生産的な、無駄なエネルギーだ。「嫌う」だなんて疲れることを始めるなら、せめてそれを嫌な自分を見つめる好機にしたらいい。自分もまた偽善者だったと気づいて、むしろ偽善者同士、共感をもってつながる道がきっとあるはずだ。自分の嫌な部分を見つめることで、「嫌い」を昇華する道が。

嫌いな人に鍵（かぎ）がある。本当の仲間は、「好き嫌い」の向こうにいる。

拒む

アイデンティティということばがある。「自己同一性」などと訳されることが多い。自分が自分であることの根拠、他のだれでもない、自分らしさの根拠を指していう。「帝国軍人たちは、日本の敗戦とともに、自らのアイデンティティを失った」などという言い回しから、そのニュアンスがくみ取れると思う。

人はだれでも、大なり小なりこのアイデンティティをもっている。そこのところがなくなったら、もう自分だとはいえないというような、何か。その「何か」は、さまざまな形でその人を支配している。それこそ「自分は日本人である」とか、「女である」というような根深いものから「東大卒である」「巨人ファンである」というようなほほえましい（?）ものまで、さまざまなアイデンティティに支配されている。人は自分が何かでないと不安なので、常に自分が何であるかを確かめようとするし、さらに何かであろうとし続ける。

しかし、「何かである」ことは「自分である」ことと違う。「何か」とはほとんどの場合、旧来の慣習であり、ある特定の視点であり、逸脱を許さない一つの制度にほかならない。「自分は女である」というとき、それは単に生物学的な分類をいっているのではなく、わたしは「女」という慣習や視点、制度に支配されています、といっているのだ。よくいわれるように、「人は女に生まれてくるのではなく、女にされていく」のだから。

男女のもめ事から民族紛争に至るまで、およそ争いごとは、当事者が互いに自分が「何かである」ことに縛られていることに無知だから起こる。まずはそれを自覚し、時にはそれを拒む勇気が、解放への第一歩ではないか。

「たぶん今日の標的は、わたしたちが何者であるかを見いだすことではなく、何者かであることを拒むことである」とは、今は亡きフランスの現代思想家ミシェル・フーコーのことばだ。あらゆるアイデンティティが人を拘束することを知っていた彼は、自分が何かであることを拒むことで、人間のもつ本来的自由の尊厳を守ろうとしたのである。

「あなたはだれ?」と聞かれたときに、「わたしは自由である」とひとことといえる人が現れるとき、この星に新しい風が吹き始めるだろう。

探す

六千ピースのジグソーパズルに挑戦したことがある。ジグソーファンならば分かってもらえると思うが、六千ピースというのは究極の数字だ。それだけにやりとげる喜びも大きいわけだが、こういう大掛かりなパズルに挑戦するときに最も気をつけなければならないこととして、「ピース紛失」がある。

あと一つで完成というときに、その一つがないと知ったときのショックは、相当なものだ。机の下にはいつくばり、カーペットをめくって、それこそ血眼の大捜索が始まる。これがよくあることらしく、パズルにはちゃんと「紛失ピースの探し方」なるテキストまでついている。たとえば、〔ソファーのすき間、掃除機の中も確認しましょう〕なんて書いてある。

そんな中でも極めつきなのが、〔自分のズボンの裾（すそ）の折り返しの中も要注意〕という項目。なるほど、ありそうなことだ。自分がもってりゃ、家中探したって見つかるはずがない。捜索の一番の盲点は、自分自身ってわけだ。

幸せの青い鳥の物語や鼻の上のメガネをもち出すまでもなく、探してるものが実はすぐ身近にあるってことが、確かにある。探し物が、心の安らぎや人生の意味といった精神的価値になると、なおさらそうかもしれない。

禅のことばに「騎牛覓牛」というのがある。牛に騎って牛を覓む、と読む。文字どおり、牛の背に乗っていながら、牛を求めて探し歩く滑稽な様子を表している。ここでいう牛とは、悟りを求める修行者が手に入れたい仏性とか真理のこと。つまり、まことの幸せにせよ人生の真理にせよ、もう既にあなたの手の内にありますよ、それに気づかなければ、たとえ世界中探しまわっても無駄ですよってことだ。

人間関係に疲れて悩んでいるとき、解決の道は自分自身にある。

困難にあって立ち直れないとき、救いの鍵は自分自身の中にある。

解決の道が相手にあると思っている人は相手を責め、他人の幸福をうらやむ人は、幸福を求めても与えてくれない世の中を恨む。自分の中を探せば、あれほど求めていたものが、すぐに見つかるというのに。

天国を完成させる最後の一ピースは、初めから自分がもっている。

叱る

叱られて、うれしかったという体験がある。

小学校四年のころ。本が大好きだったぼくは、その日の放課後、学級文庫に新しく入った本を夢中で読んでいた。たしか『一休とんちばなし』だったと思う。そのうち下校の放送があり、日直が見まわりに来ても、机の陰に隠れて読み続けた。やがて日は暮れ、薄暗くなってきたけれど、バレるので電気をつけるわけにもいかず、窓際にさしこむ外灯の明かりを頼りに読み続けていた。見つかれば叱られるのは分かっていたけれど、かといって途中ではとてもやめられない、それほどおもしろい本だったのだ。

どれくらいたっただろうか。教室の戸をガラッと開けて、担任のT先生が入ってきた。三十歳くらいの男の先生で、厳しさと優しさがあって、クラスのみんなから慕われている先生だ。たぶん何かを取りに来たのだろう、教室にまだ生徒がいたので驚いた様子だったが、すぐに怖い顔をすると、こういった。

「晴佐久、先生が今、なんていって叱ろうとしているか分かるか？」

「はい……下校時間が過ぎたから、すぐに帰りなさい……」

ぼくがおそるおそる答えると、先生は意外なことをいった。

「違う。本を読むときは、明かりをつけて読みなさい。親からもらった目を大事にしろ」

先生はそういうと、パチンと電気をつけて、行ってしまった。

小さなできごとだが、そのはからいは身にしみてうれしかった。そこには杓子定規にルールを押しつけるのではなく、まずその人自身を見ようとするまなざしがあったし、何よりも、先生はぼくのこと大事に思ってるんだと、子供心にも感じたのだ。その日はもちろん、すぐに帰宅した。

叱るのは簡単だが、たいがいは子供のためにならないばかりか、かえって恨みを買っていることが多い。それは大人が、自分の都合や一方的なルールの権力で叱るからだ。本当に子供の身になって、その気持ちを尊重しながら叱るなら、子供もいずれは叱られたことを感謝するにちがいない。

先生がパチンとつけてくれた明かりは、今も心の中に灯っている。

死ぬ

人は、死なない。わたしもあなたも、決して死ぬことはない。それに気づいたとき初めて、人は生きる意味と喜びを知り、真に生きる者となる。

だれでも、いつか自分は死ぬと思っている。あまり考えたくない事実として普段は意識の外に追いやっているが、「その日」のことは常に意識の片隅に潜んでいる。年とともに残り時間のことが気になり始め、死への恐れは日常のさまざまな側面に暗い影を落とし、ことあるごとにマイナス思考を産み落とす。

「いくら楽しいことがあっても、どうせいつかは死ぬんだ」

「どんなに愛し合っていても、いずれはどちらか先に死んでしまう」

「やがてこの世から消えてしまう自分に、何の意味があるのか」

しかし、「人は今生きていて、やがて死ぬ」という考えが実は脳みその作りだしたフィクションであることに気づくなら、それらの恐れも無意味になる。

死は、誕生だ。人は、その生涯を完成させ、まことの自分を生きるために、

「まことのいのち」の世界へ生まれ出るのである。人は今現在生きているつもりでいるけれども、実はまだ生まれてもいないのだ。人が生から死へ向かっているというのは、「まことのいのち」を知らない傲慢(ごうまん)な生物学上の見方にすぎず、人はむしろ、死から生へ向かっているのである。

人が生まれ出ていくその世界が、どれほど広く深く輝きに満ちているかは、我々には想像もつかない。胎児を考えてほしい。胎児にとっては母胎の中がすべてであり、外部のことをまったく知らない。しかし、ひとたび生まれ出たならば、そこに果てしない青空と星空が広がり、さわやかな風と水があふれ、愛する人との出会いと交わりがあり、生きる喜びに満ちていることが分かる。それらは生まれ出る前からすれば、想像を絶する歓喜の世界であるはずだ。同じように、ぼくらが見たり聞いたりしているこの世のリアリティは、まことのいのちの世界から見ればいまだ胎児の世界にすぎない。

だからこそ今日の一日が尊いのだ。胎児の間に十分に母胎から愛と栄養を受け、かけがえのない自分として成長する日々があってこその誕生なのだから。

死が誕生でないならば、人間にとって、今日の一日に意味はない。

しみじみする

ごく親しい仲間内で、「しみじみ教」という教えを布教している。教祖は、ぼくである。教団も儀礼もないので宗教というようなものではないが、極めて素朴なたった一つの教義をもっている。いわく「いつも、しみじみすべし」というものだ。たぶん、世界最短の教義であろう。

「しみじみする」といういい方は、日本語として正しい用法とはいえないかもしれないが、こうとしかいいようのない、深い味わいを秘めた言葉である。

しみじみ教徒は、朝目覚めて、新しい一日にしみじみする。昼働きながら、あわただしいこの人生にしみじみする。夜寝る前に、いろいろあった一日を振り返ってしみじみする。春夏秋冬老いも若きも、いいことがあってしみじみ、嫌なことがあってしみじみ、生まれくる新しいいのちにしみじみ、死にゆく親しい友にしみじみ、足元の雑草にしみじみ、果てしのない星空にしみじみ、要するにいつでもどこでもどんな場合でもしみじみする。しみじみ教徒にとって、しみじみすることは、生きる意味と喜びを味わう最高級の方法なのである。決して歓喜ではない。もちろん落胆でもない。物事やできごとの表面に惑わされず、そのいちばん深いところにある何かを感じ取ろうとして、しみじみする。何かいいことがあったときに、パーッとはしゃぐのも悪くはないが、えてして歓喜は覚めやすい。もっと深く長く、静かにしみじみするがよろしい。何か嫌なことがあったときにがっかりするのは致し方ないが、できるならば「いやあ、こういうこともあるか。人生だねえ」と、しみじみするがよろしい。

従って、しみじみ教徒はストレスと無縁である。とことん嫌な奴に出会ったとしても、「いやあ、ここまで嫌な奴が世の中にはいるか。いやはや、それにしても見れば見るほど、見事なまでに嫌な奴だ」と、しみじみする。しみじみしているうちに、なんだか好きになってきたりする。これでは争いごとが起こるはずもなく、従ってしみじみ教徒が増えれば、世の中は平和になる。

と信じて、大まじめに布教しているのだが、みんなニヤニヤして聞くだけで一向に教徒は増えない。確かに、しみじみのよさは、しみじみと味わわなければ分からないからなあと、教祖はしみじみしている。

知る

戦いに勝つにはまず敵を知ること、これは古今の真理だろう。戦国時代には間者が暗躍し、世界大戦下ではスパイが敵陣深く潜入する。いかに素早く、正確に敵に関する情報を把握するかが死命を制するのだから、おたがい必死だ。宇宙から地上を見張るアメリカの精密偵察衛星のカメラは、高度四百キロから撮影して分解能力が三十センチというのだから、半端じゃない。

企業間の情報戦争は産業スパイという新業種を生み、他社のコンピューターに侵入し、ライバル社のゴミ袋の中まで探りあっている。メーカーは、シェア拡大戦争を勝ちぬくためのマーケティング戦略を先鋭化させ、消費者行動のシミュレーション・モデル化だの、消費者の意識下の好みを心理分析的な深層面接やウソ発見機で調べるモチベーション・リサーチだのと、とどまるところを知らない。なんたって知るが勝ちなんだから、競争社会の情報戦に歯止めが効かなくなるのは必然的なことだ。

しかし、「勝つ」とは何か。そうまでして情報を握って勝つことが何をもたらすのか。戦争に勝つことは個人の幸福をなんら保証しない。企業間戦争も受験戦争も相手を負かすことが真の幸福をもたらすとはとうてい思えない。時代は明らかに競争から協調へ向かっているのであり、情報とは本来、分かち合ってこそ意味をもつのだから。

自他が共に幸福になるという本当の勝利のために戦うべき相手は、自分自身なのではないか。人をその本来的自由と喜びから疎外しているのは、突き詰めれば自分自身だからだ。最も身近にありながら最も知られていない、わたしという名の敵。そいつを相手にせずしては、どんな勝利もむなしい。

「汝(なんじ)自身を知れ」とはまさに、自分という戦場を戦いぬくための標語だ。偵察衛星よりも精密に、マーケティング・リサーチよりも正確に、わたし自身を知らなくてはならない。わたしが何を恐れ、どのようにこだわり、どんな偏見をもっているか。いつ喜び、どこで怒り、なぜ悲しんでいるか。何を欲し、だれを愛し、どこへ向かっているのか。その真実を知らなくてはならない。そこにおいてこそ、知るが勝ちであり、それは人生における究極的な勝利である。

信じる

「信じる者は、救われる」とは、どういう意味か？

日常あまり意識しないけれど、だれであれ常に何かを信じているし、信じることで壊れやすい自我を守っている。ぼくらは科学技術を信じて車に乗るのであり、運転手を信じるからこそタクシーにも乗る。もしも「信じる」ということが全くできないならば、人は瞬時に絶望の闇（やみ）に閉ざされてしまうだろう。

ところが現代は、不信の時代だ。他人が信じられない。夫も妻も、我が子でさえも信じられない。政治やマスコミはもちろん、科学も宗教も、自分自身すら信じられない。だから未来が信じられない。そして不信に疲れている。

確かに今の時代には不信をあおるような事件や事故、虚偽や隠蔽（いんぺい）があふれている。人間関係のモラルも変容し、信じても裏切られることばかりだし、洗脳や盲信は最大の恐怖だ。しかし、そんな時代だからこそ、素朴に「信じる」という、無邪気な行為の値うちが高まっているのではないか。なぜならば、あらゆる問題が、最後は「信じる」ことでしか解決できないからだ。

疑いは対立を生む。疑いは疲労を生む。そして疑いはさらなる疑いを生む。それに対し、信じることはそのままエネルギーだ。信じれば信じるほど、生きる力が生まれる。どれだけ疑っても、疑いからは答えは出ない。どのみち一瞬先は、だれにも分からないのだ。信じた者だけが、その一瞬先を切り開く。決して負けない。希望を捨てない。全員があきらめても、一人夜明けを待つ。

まず自分を信じよう。自分のうちに、自らを超えた力が豊かに備えられていることを信じよう。昨日の失敗は、その力に目覚めるためだったのだ。

そして他人を信じよう。どんなに弱い人間のうちにも、信ずるに値する尊い魂があるはずだ。相手を疑うことをやめたとき、新しい関係が生まれる。だれでも疑われれば閉じこもり、他者から信じられることで開かれていく。

そうしてみんなで、明日を信じてみよう。信じるほどに実際に喜びが増し、信じるほどに仲間が増えていく。その事実こそが、信じる根拠だ。

信じる者が救われるというよりも、信じることそのものが救いなのである。

住む

現在住んでいる教会を建て直すことになり、必要があって敷地の境界線の確定というのをやった。市役所の職員の立ち会いで隣接地の地主と話し合ったのだが、境界線が、打ってある杭(くい)の内側か外側かでしばしもめた。細かい作業の末、なんとか確定を終え、「それじゃどうも」と別れてから、広い青空を仰いでため息をついた。この星の上に、わずか数センチのことでもめながら線を引き、大地を網の目のように囲み続ける人間とは、何者か。

ようやくマイホームを手に入れたお父さんが「これで俺も一国一城の主(あるじ)だ」とつぶやくことからも分かるとおり、隣家との境界線は国境なのである。自国の領土を侵す枝一本が気になるお父さんの気分はもはや、国境警備隊。生涯をかけて独立国をもったのだから、その気持ちは痛いほどよく分かる。しかし、一つの国の領土を守ることがどれほどの緊張と努力を強いるかは、実際の国々の存亡の歴史を見れば分かるとおりだ。どこかに住まなければ生きていけないのは当然のことではあるけれど、気持ちのいちばん深いところには、もう少し自由な遊牧民の気分をもったほうがラクに生きられるんじゃないだろうか。

人間、それは大地に線を引く者。人はこの星に線を引いて国を作り、戦争を始める。もともとだれの土地でもない所に囲いを作って住み、自分の土地だと主張して他人を追い出す。人間、それは線を引いて自らを閉じこめる者。やがて家族もそれぞれの線を引き、夫と妻は別の国に住み始め、子供は部屋から出てこなくなる。人はなぜ、線を引くのだろう。何を囲っているのだろう。

宇宙から見た地球には国境線がないという当たり前のことを発見して、宇宙飛行士たちは感動する。国や町やマイホームではなく、自分の住んでいるのはこの星なんだという、素朴な喜びと連帯感を感ずるのだろう。どこに住んでいようとも、旅の途中であろうとも、「ここは自分の星だ、わたしはこの星に住んでいるんだ」と感じる喜びと安らぎを、ぼくたちは細かく線を引き、壁を立てる作業に夢中になっている間に失ってしまったらしい。

今度「どちらにお住いですか」と聞かれたとき、まじめな顔で「地球です」と答えてみようかな。

する

だれだって、何をするにしても、それは自分がしているものだと思っている。自分で歩き、自分で座り、自分で食べる。何の不思議もなくすべて、自分が自分でしていることだと思っている。しかしそれは本当だろうか？

本当はわたしが何かをするとき、純粋にわたし個人でしていることなど、一つもないのではないか。わたしはいつだって、相当部分わたし以外のなにものかの影響を受け、なにものかに導かれ、なにものかにつき動かされるようにして、何かをしているのではないか。

ふと気づくと思いもよらない人生を歩んでいるわたし。夢中になっているうちに意外な力を発揮しているわたし。争ったり泣かされたりしながらもいつしか人を愛しているわたし。何かに誘われるように遠い雲を見ているわたし。

自分自身を静かに見つめるならば、自由に生きているはずの「わたし」の中に、わたしを超えたなにものかの息づかいを感じるはずだ。

わたしにそうさせているのは、時に親の影響だったり、太古からの遺伝子のささやきだったり、あるいは今自分を包む環境の働きかけだったりいろいろだろう。何にせよ、それらわたしをつき動かすさまざまな原因が、ただ何の意味もなく無秩序に渦巻いているとはとうてい思えない。むしろ、この世にたった一人の「わたし」が何かを「する」という気高いできごとの奥底には、一つの計り知れない大いなる意志を感じるほうが自然ではないだろうか。

美しい青空の広がる秋晴れの朝。その香りに誘われて思わず金木犀（きんもくせい）に歩み寄り、黄金色の小さな花に手を伸ばし、そっと顔を近づける。それは確かにわたしがしていることでありながら、実はわたしを超えた力が、わたしという場をとおして行っていることでもある。わたしが生き生きと働くとき、愉快に遊ぶとき、まごころから人を愛するとき、そこには確かに、わたしの自由な意志を用いて何かをなそうとしている大いなる意志が働いている。

ぼくらが引き起こすあらゆる悪は、たぶん、わたしがわたしだけで何かをするときに起こるのだ。わたしをとおして何かすばらしいことをしようとしている意志に協力するとき、わたしは最もわたしらしく何かをすることができる。

育てる

子供の育つ力には、驚かされる。未熟な親がおろおろしている間に、まるで魔法の木が伸びていくかのようにどんどん育っていく。いったい、この小さな体と幼い心に、どんな魔法が働いているのだろう。

育てるといっても、親が子供をつくるわけじゃない。親にできることは、子供が育つお手伝いをすることでしかない。お手伝いというからには、ご主人様は子供のほうであって、親はあくまでもお仕えしている側なのだ。

子供は天からの授かりものという。まさにそのとおりだが、正確には、天から授かったご主人様というべきだろう。自分のものとして所有するなんてとんでもないこと。子供というかけがえのない宝、その中で始まりつつあるとてつもなく偉大なこと、その美しさと神聖さの前にひたすら頭を下げ、喜んでお仕え申しあげる。こんな尊い仕事を自分が託されたことに感動しながら。

子供に仕えるとは、子供の育つ力が十分に発揮できるように環境を整えることだ。光と水と空気、栄養と遊べる空間と走り回れる大地、あたたかい人間関係と信頼できることばと明日への明るいビジョン、そして親の愛。これだけそろえてゆったりと見守れば、子供は安心してのびのびと育つ。

何の変哲もない一粒のトマトの種から、一万二千個のトマトの実る巨木を育ててあげてしまった、有名な植物学者野澤重雄氏のいうことを聞いてほしい。

「種によしあしはない。大事なことは、まだ小さい苗のときに、自分はどんどん成長しても必要なものは十分与えられるんだという安心感があること。そうすれば苗は世界を信じ、自分を信じ、疑うことなくどこまでも伸びていく」

野澤氏に出会えなければ、どこか日当たりの悪い裏庭でひょろりと育ったかもしれない一粒の種は、育てる感動を知っている植物学者のもとで無限の可能性を開花した。氏は、どんな種からでもそれが可能だという。

親の資格があるかどうかも分からないわたしのもとへ、天から贈られた一人の子供。愛される喜びと天への信頼のうちに、魔法の木のようにどこまでも育ってほしいと願わずにはいられない。優しく、賢明で、夢があり、感性豊かで、我慢強く、ユーモアを忘れず、人の痛みを分かる人間に育つように、と。

たてる

家を「建てる」など、日常でよく使う動詞だが、実は奥の深いことばである。「たてる」といっても、その対象は建築物とは限らない。「建国」のように組織を「たてる」こともあれば、「名を立てる」というように、目には見えない名誉などを立てる場合もある。いずれにせよその意味するところは、もともと何もなかったところに手を加えて何か形あるもの、意味あるものを作りあげるということである。家を建てるとはすなわち、何にもないさら地に手を加えて柱を立て、屋根をふき、家という意味あるものをそこに現出させること、というわけだ。

したがって、元来これは優れて創造的な現場で使われる動詞であり、当然、芸術文化に深くかかわっていることばでもある。

たとえば「お茶を点てる」という。これはいうまでもなく人を招いて茶の湯の席を設けることを指すことばだが、そこでたてているのはいわば「一期一会」の触れ合いだろう。もとよりバラバラな人間関係の中で、もしかしたら生涯会えなかったかもしれない人たちと共にお茶を飲み、心を通わせ合うことで、ひととき意味ある時と場を作りだす、だから「お茶を点てる」。

　あまり知られていないが、生け花も本来「たてる」ものである。鎌倉時代から室町時代にかけて生け花が生まれた当初はこれを「立花（たてばな）」と呼び、「花を立てる」といった。それも「立花僧（りっかそう）」と呼ばれる専門家が、かなりダイナミックに花を立てていたようだ。なぜ僧かというと、当時は立花を一つの宗教的な行為としてとらえていたからである。なるほど、何もない空間に、もとはバラバラに存在した花や草木を組み合わせて一つの小宇宙を打ち立てる行為は、宗教的というしかない。

　この大宇宙自身、何もない混沌から意味あるものとして造られたものだ。つまり宇宙は本質的に「たてられた」存在なのだといえる。ぼくらが人間関係をたてたり小宇宙をたてたりするのは、その大宇宙が今もたてられ続けていることと共振しているからではないだろうか。ぼくらが何か値うちあるものをたてているときにこそ大きな喜びを感ずるのが、その何よりのしるしだろう。

食べる

「ああ腹が減った」とハンバーガー・ショップに飛び込み、ベーコンエッグバーガーをたのむ。注文して三十秒、食べるのに三分。紙ナプキンで口をぬぐい、「あっ、もうこんな時間」と、店を出る……。

ちょっと、待った。今はもう胃袋の中で忘れられている、そのベーコンエッグバーガーについて、ひとことお話ししたい。

一番下の〈ベース・バンズ〉の原料はいうまでもなく、小麦。カナダの金色の小麦畑で、陽光と雨と農民の愛情に育（はぐく）まれたものだ。その上の〈ハンバーガーパティ〉は、もちろん牛肉。故郷はニュージーランドの緑の牧場だろう。タルタルソースをはさんで、次が〈ベーコンエッグポーション〉。ベーコンの豚は中国産でエサはじゃがいも、エッグの鶏は静岡産でエサはトウモロコシ。そしてタイの完熟トマトから作ったケチャップと、アメリカ産の辛子の実から作ったマスタードをかけて、一番上にふんわり焼いた〈トップ・バンズ〉。

それらをガブリと食べるとき、ぼくらは世界を食べている。あたたかな陽の光と潤いの雨、豊饒な大地の恵みと誠実な労働の実りを、食べている。ハンバーガーをゴクリと飲みこむとき、ぼくらは地球を飲みこんでいるのだ。

小麦たち、牛さん、豚くん、トマトちゃん、辛子どの、鶏さま、いつも何気なく食べちゃって、ゴメン。そして、ありがとう。きみたちのいのち、そしてきみたちの尊い死を、ぼくらは決して無駄にはしない。いつか自分もこの身を大自然にお返しする日まで、きみたちから受けついだいのちの輝きを守り続けるよ。

人は、食べなければ生きていけない。しかし、ぼくらは、いったいどれだけのいのちを犠牲にして生きているのだろう。しかもその犠牲がおいしいだなんて、どうしたことだろう。パンは、トマトは、ビーフは、なぜおいしい？

それはたぶん、もっと世界をきちんとかみしめなさい、ということだ。もっとこの星を感謝して味わうように、ということだ。他者の死を前提に存在する今日一日を、もっと大切にしてほしい、ということだ。

さて、今夜は何を食べますか？

黙る

学生時代に観た劇団四季の名演「オンディーヌ」が忘れられない。オンディーヌは水の精でありながら、人間の若者ハンスに恋してしまう。そこで水の精の掟を破って人間となりハンスと愛し合うが、やがて二人は引き裂かれ、ハンスは死に、オンディーヌは人間界でのすべての記憶を消されて「永遠の世界」へと連れ戻される。忘れられないのはそのラストに近いシーンだ。

舞台中央で向かい合う二人。虚空からオンディーヌを呼ぶ声が響きわたる。その声が三度響いた瞬間、オンディーヌの記憶は消え、ハンスは息絶えねばならない。二度目の呼び声が響きわたったとき、ハンスは叫ぶようにこういう。

「さあ、オンディーヌ、選んでくれ！　残された最後の十秒を、語り合うか、それともくちづけのために黙るか」

オンディーヌがどちらを選んだかは、書くまでもないだろう。

黙るとは、単に話すことをやめることではない。黙ること自体が積極的、かつ根源的行為だ。いうなればむしろ、人は黙ることをやめたときに話しだす。しかしその話の内容たるや、なんと空疎で冗長なことか。大半は愚痴か文句か弁解か、自慢かウソかお愛想か。もしも地獄があるならば、生前自分がしゃべったことを細大もらさず聞かされるところにちがいない。

ことばがむなしく響くのは、ことばの背景の豊饒なる沈黙の世界に根ざしていないからだ。人はきちんと黙れなければ、きちんと語れない。どのように語ろうかと意気ごむ前に、まずどれだけ豊かに黙れるかを問題にするべきだ。黙ることをあきらめたことばは、人を傷つけ、争いを生む。そのようなことばをどんなに重ねても、人はいやされない。どこまで語り合っても、人は理解し合えない。いつだって孤独を生むのは、沈黙ではなくことばなのだ。

心に渦巻くことばを鎮めて黙ったときこそ、本来の自分自身を見いだすときであり、初めて他者に出会えるとき。迷ったとき、行き詰まったとき、最も苦しいときは、ことばでごまかさずに、まず、黙る。深く、静かに、ゆったりと。

ぼくもまた最後の十秒は黙って過ごしたい。人は沈黙の世界でこそ愛し合えるのだから。そして実は、ぼくらは常に最後の十秒を生きているのである。

違う

小さいころから、他人と同じことをするのが嫌だった。同じことをさせられるのはもっと嫌だった。みんながマジメなときにはフザケ、みんながイイコにしているなら、ワルイコにした。整列をわざと乱し、大嫌いな運動会の隊列行進などは、サボって屋上から眺めていた。教育は、それを許さない。ぼくはいつでも叱られ、叩かれ、立たされた。「みんなと同じにできないのか」「何でちゃんとしないんだ」「素直じゃないぞ」「ひねくれもの！」

自分でもひねくれてるなと分かっていたけれど、これが自分だと割り切ってもいた。「みんなと同じにできる」普通の友人たちからちょっと遠いところにいる、小さなさみしさのようなものを胸にいだきながら。

みんなと同じにできなかった子供は今、教会の神父という、みんなと違う仕事をしている。そこにはなぜか、みんなとちょっと違う人が集まってくる。どんな仕事も長続きしないフリーター、うつ病になりかけた学生、家出してきた高校生、不登校の中学生、いじめにあった小学生、カルト教団から逃げ出してきた人、自称生活破綻(はたん)型芸術家、ホームレス、同性愛者、アルコール依存症、犯罪歴のある人などなど。この社会は、みんなと同じにできない人をいじめる。だからみんな、さまざまな傷を負っている。そんな彼らの話を聞いていて、共感のあまり胸が熱くなることもある。心が叫ぶ。(みんなと同じにできなくってもいいんだよ。みんなと違うことは、大切なことなんだよ！)

人はだれであれ、他人との違いの中で自分を見つけ、自分をつくっていく。だから、自分と他人が違うということは、とてもうれしいことなのだ。

人はだれであれ、違う他人と出会い、違いを受け入れ、違いを楽しむことで、人生の喜びを見つけ、人生の意味をつくっていく。だから、一人一人がみんな違うということは、とても豊かなことなのだ。

人がこれほどまでに互いに違うものとして、多様な現実を生きるようにつくられているのは、その違いを生かすことで、より高次の人類へ進化するためかもしれない。もしそうならば、違うことを恐れ、違うものをいじめるぼくらの心の闇の中には、人類滅亡のきざしが芽生えているのかもしれない。

問う

子供たちは、質問の天才だ。なんでもかんでも、どうしてどうしてと聞きまくり、時に大人には考えも及ばないような突拍子もないことを聞いてくる。ラジオの子供電話相談室なんかを聞いていると、「目は二つあるのに、どうして、ものは一つに見えるんですか」とか、「鏡は左右が逆になるのに、上下が逆にならないのはなぜですか」といった難問が次々出てくる。答えるほうも大変だろうが、一緒に考え、ていねいに答えることが「問う」才能を育てるのだから、おろそかにできない。(鏡は、床に置いて見れば上下逆になる。)

知能研究の第一人者、ロバート・J・スターンバーグは、「質問することは質問に答えることと同じくらい重要な知能である」として、「答える力も一つの知能だが、質問する力もまた創造的知能として、測定し、開発すべきだ」という。答える力は与えられた枠組みの中でのみ有効であるのに対し、問う力は枠組みをより広い地平へ開くことのできる力だからだ。きちんと問うことができたとき、その問いは自分自身を解放する力を秘めている。

「宇宙船地球号」概念で著名な、数学者であり思想家のバックミンスター・フラーが、子供たちの質問に次々と答えるという内容の本がある。そこでフラーが特にすばらしい質問だといってほめているのが、なんのことはない「宇宙って何ですか?」という単純な質問だ。フラーはそこで相対性理論を分かりやすく説明しながら、宇宙はたくさんのシナリオの集合体だと答える。それも単に天文学者の観測したシナリオだけでなく、こういう質問によってコミュニケーションを深め、互いのエピソードをつなぎ合わせていくこと、すなわちみんなで問うこと自体が、宇宙をつくっているというのだ。

宇宙とは、何か。そんなこと考えてもムダだ、そう思ったとき、その精神は宇宙への参加を捨てたことになる。人はどこから来て、どこへ行くのか。「死すべき」人間が生きるのにどんな意味があるのか。今信じている常識は、教育は、家庭は、これでいいのか。いつでも問い続け、互いの問いを結び合わせていかなければならない。人は問うことでいつも新たに生まれるのだから。

わたしはなぜこの星にいるのか。なぜあなたと出会ったのか。愛とは、何か。

流す

「地球交響曲」の映画監督、龍村仁さんと話していたら、ぽつりとおもしろいことをいった。「お金って、貯めると腐りますね」

なるほど、そのとおり。金持ちほどケチだというけれど、実際貯めれば貯めるほど使うのが惜しくなるらしい。貯めることに腐心し、減ることを恐れる。そうなるとお金は手段ではなく目的となり、意義ある使いみちがどんどん失われていく。使わないお金は、その人の心の中で腐り始めるのである。

お金は上手に流せば流すほど生きてくる。新鮮なお金の流れるところには、活きのいい人が集まってくる。お金は人と人を結び、そこに新たな夢や値うちある活動が生まれ、文字どおり「お金にかえられない」何かが育っていく。

映画監督にとっては、それは日々肌で感ずることなのだろう。映画作りの現場では、いかにお金を集めてそれをうまく流すかが勝負だからだ。それも目前の作品のためだけでなく、たとえば若手に酒をおごるなどの日常のささやかな投資の数々が、やがて無形の財産となって未来の作品につながっていったりするので、おろそかにできない。映画作りとは、実は目には見えない大きな流れ作りなのであり、お金の流れはその目に見えるしるしにすぎない。

映画作りに限らず、流れ作りはあらゆることの根本にいえることだろう。たとえば健康とは、身体の中にいい流れができている状態のことだ。血液をはじめ、循環するすべての要素が雪どけの小川のように気持ちよく流れていく。脳波の流れも気の流れも安定して、深いところで宇宙の流れに同調している状態。身体に限らず、健康な組織、健康な社会、健康な経済、すべて人や物や情報が滞ることなくさらさらと流れていることが理想なのである。身も心も物も素敵に流して鮮やかな流れを作ること、それは生きることそのものだ。

何かうまくいかないときや、心身が不健康だと感ずるときは、何が淀(よど)んでいるかを捜してみよう。運動不足なのか情報の断絶なのか、金品の死蔵なのか、原因が見つかれば解決したも同然。あとはそれを流してやるだけなのだから。

流す楽しさ、気持ちよさを知った人はまことに自由闊達(かったつ)、やがて自分が、大きな潮流の一部であることに目覚めていく。

殴る

ジャン・アメリーというユダヤ人作家がいる。第二次世界大戦中にレジスタンスに参加してナチスに逮捕され、拷問を受け、アウシュビッツに送られた。奇跡の生還後、彼が書いたエッセイの一つ「拷問」の一節を紹介したい。

「殴られると人間の尊厳を失うものかどうかわたしは知らない。だが、次のことは自信をもっていえる。最初の一撃ですでに何かを失うのだ。何かとは何であるか。さしあたり、世界への信頼とよぶとしよう。まさにそれを失う」

「世界への信頼を失う」ことが、一人の人間にどんな傷として残るのか、そして、人をそこまで追い込む、殴るという行為とは何か、厳しく問わねばならないだろう。ジャン・アメリーは、戦後三十年たってから、自殺した。

ぼく自身、人と同じことをするのを嫌う性格がわざわいして、教師から数々の暴行を受けた。そのすべての状況を、いらだってゆがんだ彼らの表情にいたるまで、鮮明に思い出すことができる。そのときの気持ちはまさに、恨みというよりは、喪失感だった。このわたしという一人の人間を、このような理由で、このような表情で殴る人間が、この世界に現実に存在するという事実に接して失ったものを、うまくことばにすることができない。

「愛の鞭（むち）」という美しいことばがある。確かに、教師が生徒を愛するが故に殴り、殴られたほうも目が覚めて感謝しましたなんていう美談も、この広い世界のどこかにはあるのかもしれない。しかし断言するが、それは万に一つの奇跡であって、他はすべて、自己抑制のできない教師の激昂（げきこう）による犯罪的行為なのだ。愛と信頼に支えられた親子関係における体罰と同列に論ずべきではない。

まず論ずべきは、殴られた人の中で何が壊れていくのか、暴力がいかに取り返しのつかない力で人々を引き裂いていくか、である。ぼくは運よく、なんとか「世界への信頼」というかけがえのない宝を失わずにすんだ。しかしそれを二度と取り戻せない形で壊されてしまった繊細な子供も大勢いるだろうし、その可能性はぼくにだってあったのだ。だれでもが「世界への信頼」を生涯もち続ける権利をもっているはずだ。教育が、いちばんもろい子供の、最も壊れやすい心に照準を合わせることを大原則とするよう、願うばかりである。

脱ぐ

身につけているものを次々と脱ぎ捨てて、温泉に、ドボン。なんとも開放的な、至福の一瞬だ。立ちのぼる湯気と一緒に、悩みごともかき消える。思えば人間は妙な生きものだ。これほどいろんなものを身につけている動物はいない。それも、立場だの場所だの気候だのに合わせて、とっかえひっかえしなきゃならない。けっこう高い金払って、あれこれそろえとかなきゃならない。まことにもって不自由な話だ。

「裸のつきあい」って、あらためていいことばだな、と思う。それが人間関係の原点だって気がする。服を脱いじゃえば、社長も新人社員もない。裸で名刺交換てのも見たことないし、裸じゃ思想闘争もマヌケだ。日ごろ頼りにしている地位やら肩書やら才能やらを脱衣場に脱ぎ捨てて、だれとでも生まれたままで語り合えたら、どんなに気楽だろう。

ぼくらは体だけじゃなく、心にもいろいろ着込んでいる。それも見えないのをいいことに、相当変なものを着込んでいる。

小さいころからのこだわりをはき、実物以上に見せようと虚飾をかぶり、傷つけられるのを恐れて無関心をはおっている。もしそれらが実際に目に見えたら、みんな呆然とするはずだ。自分たちが互いに、あまりにもおかしな格好をしていたことに気づいて。

なおも着込もうとしている人にいいたい。しまいに動けませんよ、と。そういう人は、人生を着ることだと思い込んでいる。自分を守るために、強固な武具を身につけていくことだ信じている。なんて重たい人生！

生きるって、脱ぐことだ。知らずに身につけてきたものや無理に着込んできたものを一つ一つ脱ぎ捨てて、もっと楽に呼吸することだ。できれば素っ裸がいい。生まれてきたときは、だれだってまる裸だったんだから。

裸になって初めて感じる風がある。

裸になって初めて知る安心がある。

裸になって初めて得る自由がある。

裸になって初めて出会う友がいる。

願う

ジョン・レノンの歌が好きだ。無邪気で、前向きな彼の歌に励まされる。まともなシンガーならだれでも、ほとばしるようなメッセージをもっている。しかし、自分の生きる意味を賭けたところから、自分自身の祈りとしてメッセージを発し続けたという点で、ジョンは希有な存在だった。だから、ぼくらもまた、ジョンの歌を、自分自身の生きる意味とかかわるメッセージとして聴いたのだ。

「争いはやめよう、愛し合おう、平和を我らに！」

その願いは、彼が凶弾に倒れて十数年たった今も、歌いつがれている。

ことさらにジョンを神格化するつもりはない。最近の伝記には、部屋にこもりきりでドラッグを常用する、孤独で神経質なジョンの姿が描かれている。

しかし、いや、だからこそ、ジョンの歌とその願いが、痛切に心に迫る。弱い我々にとって、最後は願うこと以外に何ができよう。その人なりの傷を背負った人間が、孤独と不安に苦しみながらも、なおも願い続ける、愛と平和。

たとえすべてを失っても、最後に残るのは、その願いなのだ。

ジョンとヨーコは息子のショーンに、小さいときからこう教え続けたという。

「こうと願って祈ったことは、必ずかなう。願ってできないことは、ない」

むろん、不可能なこともあろう。現にジョンは、思い半ばにして殺された。

だが、必ずかなうと信じて願い続ける、その願いにこそ、その人の生きる意味がある。願いのうちに、人は死んでも生きる。

ぼくらは今日、何を願っているのだろう。目先のことではなく、本当に願うべきことが何かに気づいたとき、初めて人生が始まるのかもしれない。

ショーンは、テレビのインタビューに答えていった。

「今ぼくは、地球を救うこと、母なる自然を守ることを願っている。それはみんなの責任なんだ。ぼくらの世界なんだから、自分に関係ないなんて、だれにもいえない」

五歳のときに父親を殺された青年は今、あきらめずにみんなで願えば、いつか必ず願いはかなうことを、知っている。

眠る

「世の中に寝るほど楽はなきものを　知らぬうつけが起きて働く」とか。江戸の庶民の洒脱(しゃだつ)な心意気か、けだし名言というべきだろう。

むろん、起きて働かねば生きていけないのは確かなことだが、安心してぐっすりと眠れなければ生きていけないのは、一層確かなことなのだ。もしかすると、我々は根本的な勘違いをしているのかもしれない。今まで「起きて働くために寝る」のだと信じていたけれど、「ぐっすりと楽しく眠るために働く」のが正解だとしたら。それこそ人生観のコペルニクス的転換かもしれない。

眠りのときは、いやしのとき。どんなにしんどくて、身も心も疲れ果てた日でも、一日の最後に眠りという小さな天国が待っていてくれる。もしも眠りのときがなかったら、毎日が生き地獄かもしれない。手足を伸ばし、心も伸ばしてゆったりと眠るときにこそ、なくした元気が戻ってくるのだから。眠るに勝る薬なしというように、悩みも不安も、病でさえいやされる。

眠りのときは、ゆるしのとき。ひどい失敗をしたり、人の心を傷つけてしまったりして、もう自分がイヤになったときでも、眠りは「さあもういいよ、今日はおやすみ」といってくれる。そんなときは、くよくよせず、弱さは弱さそのままに裸の自分になって眠るしかない。どんな夜にも必ず新しい朝が来るのだ。もう一度やり直す朝、素直にゆるしあえる朝が。

眠りのときは、交わりのとき。大切な人をなくしたり、だれにも理解してもらえなかったりして、真っ暗やみの中にいるような孤独の夜があったとしても、眠りのときはみんなを結んでくれる。意識の世界で離れ離れになっている人たちも、深い眠りの世界では一つに結ばれているのだ。起きているとき独りぼっちということはあっても、眠りのときに独りということはありえない。

起きている世界は一見、苦難と疲労、虚偽と闘争、孤独と絶望に満ちているように見える。しかし、実はその現実の底に、確かにいやしとゆるし、安らぎの地平が開けているのであり、眠りはそんな解放の世界への門なのだ。

だれでも一日一度体験できる、根源への深き眠り。その人のその人らしさ、その人のかけがえのない尊さは、すべてその人の寝顔に表れている。

励ます

神父の大切な仕事の一つに、落ち込んでいる人を励ますというのがある。その人が元気を取り戻せるようにお手伝いするわけだが、これがなかなか難しい。無責任に「がんばれよ」と肩をたたくわけにもいかないし、第一、うつ病の人、うつの傾向がある人には「がんばれ」は禁句であり、へたに励ますと逆効果ということもある。結局は、その人自身がふたたび自信を取り戻して歩みだせるまで、そっと寄り添うしかないのかなとも思う。そうして寄り添ううちに励ますどころか、かえって励まされることも多く、そうこうするうちにふと気づくと、そんな交流自体が相手の励みになっていたりする。

老人ホームを訪ねる機会が多いためか、お年寄りとの交流でそう感ずることが多い。お訪ねする人の中には、家に帰りたい、ここから車で連れ出してくれと泣いてすがる人もいる。もちろんそういわれてもどうすることもできず、いいかげんな慰めでその場をとりつくろい、しまいには逃げるように帰ってきてしまう。次の機会に訪ねると、今度はあらかじめ荷物をまとめて待っていて、どうかお願い、このまま連れてって、後生だからと、泣く。

しかし、そんなことを何度も繰り返すうちに、その人もしだいにホームになじんできて、そのうちには、「神父さんも大変ねえ、こんなわがままな年寄りの相手をしなきゃならなくて」などという。こちらも正直に「いやあ、どうしていいか分からなくて、いつも冷や汗かいてるんですよ」というと、「いいんです。こうして来てくださるだけで。それでどれだけ励まされていることか」という。そのひとことで、ぼくもどれだけ励まされることか。

認知症（にんちしょう）のために寝たきりで、ほとんど何も分からなくなっているかたも多い。そんなあるかたをお訪ねしたときのこと。いつものように耳元で「こんにちは、教会の神父です、お祈りに来ましたよ」というと、その日に限ってぱっちりと目を開け、両手でぼくの手を握り、初めて、はっきりとこういった。

「えらいねえ、ご両親も喜んでるよ。あんたの悪口いう人、いないよ」

ちょうど、人間関係でつらい気持ちでいた時期だったので、天の声かと思った。――涙がこぼれそうになった。

離れる

二十世紀最大のできごとを問われるなら、躊躇（ちゅうちょ）なく人類が宇宙に飛び立ったことを挙げたい。といっても科学の勝利を無邪気に賛美したいからではない。人類が初めて、自らの住む星を離れた所から見るまなざしをもったことが、人類の歴史において重要な意味をもつと思うからだ。

地球を離れた宇宙飛行士たちは、自らの星を一つの対象として眺めるという体験をとおして、みな一様に、地球という星のかけがえのなさに目覚めている。国籍・文化の異なる彼らが共通して感じたことをさまざまなインタビュー記事などからまとめると、おおよそ次の三点になる。

①この神秘的な、青く美しい、いのちあふれる星が、暗黒の宇宙のただ中に存在するのはまさに奇跡であり、とても偶然とは思えない。

②それは一つの小さな星であり、もとより国境などのない星だ。人類はたった一つの乗り物に乗った運命共同体であり、争うことはむなしい。

③その環境は非常にもろく、壊れやすく、はかない星であり、次の世代のためにこの星をあるがままの状態で守ることは、すべてにまさる急務だ。

これらは、当たり前といってしまえば、あまりに当たり前のことなのだが、その当たり前のことに気づくために、人類ははるばる宇宙へ飛び立たなければならなかったということだ。なんかおかしいなと感じてはいても、そのただ中にあるうちは、なかなか気づきにくい。ナスカの地上絵のように、遠く離れてみて、初めてその意味や値うちが見えてきたのである。

自らの国や文化、仕事や家族など、愛する対象を離れて眺めるまなざしをいつももっていたい。愛するが故に離れる勇気がほしい。面倒でも孤独でも、子離れ、夫離れすべき時もあれば、国離れしなければならない時もあるはずだ。多くの労力と犠牲を伴った孤独な「地球離れ飛行」も、今にしてみれば愚かな人類の覚醒(かくせい)のためには必要なチャレンジだったといえるのだから。

愛は、対象への盲目的埋没ではない。むしろ愛は、「わたしとあなた」をしばりつける惰性と依存の引力圏をふりきって、「本当のあなた」が見える高みにまで飛び出してこそ獲得できる、ひろやかなまなざしのうちに宿っている。

触れる

ここ十年、毎夏のように数名の仲間と無人島でキャンプをしている。鹿児島県奄美大島から船で一時間半のところにある、珊瑚礁（さんごしょう）に囲まれた周囲二キロの小さな島。水のないその島は、いまだかつてだれも人の住んだことのない、正真正銘の無人島である。直接接岸できないので、船は沖に停泊してゴムボートで上陸する。船が帰ってしまえば、あとは無線だけが命綱となる。

南の島は美しい。とりわけ孤島の無人島となると、手つかずの大自然が、息をのむ美しさで残されている。エメラルドグリーンの海に映える白い浜と、アダンの茂る緑の丘。海鳥が舞い、海亀が上陸し、極彩色の熱帯魚が群れ泳ぐその島は、天地創造そのままの聖域といってもいい。ここで魚を釣り、貝を拾って暮らす数日間は、よくぞこの星に生まれけりという楽園の日々でもある。

どんなに忙しくともどんなに面倒でも、毎年この島に渡ってしまうのは、ここで、確かにこの星に触れることができるからだ。もちろん、都会に暮していても地面にさわることはできる。風を感ずることも水を浴びることもできる。しかし、からだの奥では、何かが違うと叫んでいる。手のひらも足の裏も、本物に触れたいと叫んでいる。触れなければ干からびちゃうよと、必死な声で。

裸足(はだし)で砂を踏む。素手で岩をつかむ。裸で海に飛び込む。それは単に砂や岩や海に触れているだけではない。そのときぼくたちは、この星に触れているのだ。夜、たき火を消してからみんなで砂浜に寝転がり、満天にきらめく幾億もの星の光に身をさらす。そのときぼくたちは、全身で星々の魂に触れているのだ。それらにじかに触れることのできる「からだという幸福」に浸りながら。

朝起きてから夜寝るまで人工物にしか触れない生活の中で、どうしてこの星の魂に触れられよう。この星の魂に触れずに、どうしてこの星に生まれた喜びを感じられよう。

島を突然襲う昼下がりのスコール。水平線から浜に向かって水しぶきに煙る豪雨帯が近づいてくると、みんな着ているものをすべて脱ぎ捨て、最高の笑顔で歓声をあげて走りだす。潮でべとついたからだに、痛いほどの歓喜のシャワー。この星の水に触れるために、人は裸で生まれてくるのである。

褒める

褒められると、うれしい。だれでもそうだ。自信がつくし、何をするにしても力の源になる。気持ちが前向きになる。恐れがなくなる。

そんなにいいものなのに、褒められた記憶はひどく少ない。褒めた記憶となると、もっと少ない。

最近注目されている精神病リハビリ法に、ＳＳＴ（ソーシャル・スキルズ・トレーニング）というのがある。直訳すると、「社会生活技能訓練」とでもなるだろうか。さまざまな原因で心を閉ざしてしまい、長く社会生活から離れていた人に、生活の基礎的な訓練、たとえばあいさつとか買物の練習を繰り返させ、そのつど評価して、自信をもたせ、社会復帰させていくトレーニングだ。

ＳＳＴの重要なポイントは、「褒める」という点にある。あいさつがうまくできた、ちゃんと買物ができた、それをトレーナーは徹底して褒め、またお互いに評価して褒め合う。それがたとえトレーニングだと分かっていても、褒められたその人はどんなにうれしいだろう。ある人にとっては、きちんと一人の人間として評価され褒められたのは、生まれて初めてかもしれないのだ。褒められる喜びには、病んだ心をいやす力が秘められている。

なにも精神病に限らない。病んでいるというならば、ぼくらはみな病んでいるのだから。社会も病んでいるし、教育の現場も病んでいる。何よりも家庭が病んでいる。であるならばぼくたちもみな等しく、SSTを必要としているのではないか。社会でも、学校でも、家庭でも、お互いをきちんと評価し合って自信をもたせ、良い点を見つけて褒め合うことを徹底して繰り返せば、この世界はずいぶんいやされるのではないか。

親から褒められた、そのひとことを人生の支えにしている人はいくらでもいる。先生から褒められた、そのひとことを生涯、宝物のようにしている人も多いだろう。それなのにぼくらは、あまりにも褒めるのがへただ。子供相手ならまだしも、成人同士となると、褒めることばすらもっていない。

人からしてもらいたいことを、人にもする。……不変の黄金律である。

待つ

思えばずいぶん待たされた。駅のホームで事故の復旧を待たされ、首都高の大渋滞で待たされ、雨の渋谷のハチ公前で待たされ、ずんぶんイライラしたものだ。合格発表にせよ、ラブレターの返事にせよ、待つ身はつらい。

都会のテンポがあがったせいか、最近はちょっとのことが待てない。気がつくと銀行のカードコーナーで前に並ぶ五人を呪(のろ)っている。そんなときに限って、すぐ前の人が、モタモタした末にボタンを押し間違えたりして、表示がパタンと「休止」になったりする。オー、マイ、ゴッド！

世の中が便利になるのに反比例して、待つ能力は落ちていく。戦後の窮乏時代には配給を丸一日でも待てたのに、現代人はマクドナルドのカウンターで十秒の遅れに腹を立てる。そういえば昔のテレビはスイッチを入れてから画面が現れるまで、三～四秒の間があった。そのたった数秒が待てず、今のテレビは一日中通電している。どうせその数秒で、ＣＭを余計に一本見るだけなのに。

待つ能力が人間の成熟度のバロメーターであるとするならば、現代人は乳児レベルに退行しているのかもしれない。赤ん坊は、待てない。泣いて暴れて要求し、今すぐ満足したい。

しかし、いのちの基本は、「待ち」だ。大自然を相手にしている人なら、それをよく知っている。山住（やまずみ）は春を待ち、農民は実りを待ち、漁師は夜明けを待つ。彼らは、待つ間にも人知れず偉大な力が働いていること、やがていつか神聖な世界がたち現れることを、経験と直感から信じている。焦ってみたところで、どうなるというものでもない。不安も孤独も気持ちの底に沈澱させて、静かに謙虚に、来るべきときが来るのを待つ。それが人生ってもんだからだ。いや、それが人生の楽しみってもんだからだ。そうして待つことを楽しめる人だけが、今を生きる喜びを知っている。

待てない親に育てられた子供は、不幸だ。自然のペースで熟することができず、親と同じように待てない子に育つ。何でも決めつけ、他者にいらだち、すぐにあきらめ、曖昧（あいまい）さを我慢できない。だから、満足することが決してない。

待てば海路の日和あり。ものごとすべてに、時がある。

見る

かつて受験のため、デッサンを習い始めたときにつくづく感じたことは、今までいかにものを見ていなかったか、ということだ。それまで何でも当たり前に見ているつもりでいたのが、実は何も見ていなかったに等しいと気づかされて、文字どおり目を開かれる思いがしたものだ。

先生の口ぐせは、「見ろ、見ろ」だった。

「よーく見ろ、一見て十描くな。十見て、一描け」

りんごひとつ描くにしても、まずりんごを見なければ描けない。りんご固有の重さ、皮の質感、まるい陰影と拡散する光、深みのある微妙な色合い。それらが見えてこなければ、筆はとれない。

レンブラントは、セザンヌは、ピカソは、単に絵がうまかったのではない。技術的に優れた人ならいくらでもいる。彼らが偉大だったのは、彼らが見る人だったからだ。彼らはりんごそのものを、徹底して見る。りんごの美しさを、りんごの不思議を、りんごがそこにある尊さを、自分の存在を賭けて見る。その視線はりんごの深みに秘められた、見えないものまでも見つめている。

たとえば、西の空がバラ色に染まっているとしよう。宇宙の色まで透けて見えそうな、せつないほどに美しい夏の夕方。家路を急ぎながらちらりと空を見上げ、「あ、夕焼けだ」と思う。その間約〇・五秒。はたしてそれは夕焼けを「見た」ことになるのだろうか。確かに目に入ったかもしれないが、それは西の空に現れた不思議なできごとを「夕焼けだ」と認識しただけのことではないか。しかし、もしその場に立ち止まり、五分間、いや五秒でもいい、空を見上げ、その色に染まり、その神秘にうたれ、その一瞬を感動をもって受け止めることができたなら。そのとき人に何が見えてくるのだろうか。

今日一日、わたしは何を見たのだろう。眠る前に目を閉じて思い起こそうとしても、何一つまともに思い起こせない。チラつくブラウン管。電車の吊り広告。街のディスプレイ。ほかに何を見た？ わたしは今朝の朝顔のつぼみを見たか？ ランチタイムに屋上で雲を見たか？ 愛する家族の顔は？

観る

生まれて初めて映画館へロードショーを観(み)にいったのは、一九六八年四月、ぼくが小学校五年生、十歳のときだ。都電に乗っていった先は今はなき銀座の「テアトル東京」で、湾曲した横長のシネラマスクリーンが売り物の映画館だった。そのときの二時間半の体験を、なんと説明したらいいだろう。ぼくは呆然とし、恍惚(こうこつ)とし、それはその後のあらゆる映画体験の原体験となった。その後もリバイバルのたびに観に行き、そのたびに呆然とし恍惚としたその映画とは、スタンリー・キューブリック監督の「２００１年宇宙の旅」である。

いつしか映画の評論などを手がけるようになり、多くの感動的な作品を観てきたけれど、いまだにあれ以上の体験にはめぐり会えない。恐らくこれからも無理だろう。それは「２００１年宇宙の旅」がぼくにとっての映画の原体験であるからだけでなく、あの映画が、監督がいうところの「知的な言語表現を避けて詩的な方法で潜在意識に訴える映画」として成功しているからだ。たぶんぼくはあのとき映画館の暗闇の中で、「宇宙」を観たのだと思う。果てない暗黒の宇宙の広がりとそこを漂う宇宙船の孤独、人間存在の限りない小ささを。そしてさらには、宇宙を超えて存在し人間の歴史を導く、偉大な意志をも。

映画や演劇を「観る」とは、単に画面や舞台を「見る」ことではない。観るとは、作者の世界に参入し、作者の宇宙を体験するという極めて創造的な行為だ。従って、重要なのは劇場から一歩踏み出した瞬間だろう。それは、今まで単に「見て」いた世界を「観る」チャンスだからだ。自分という主人公の歴史を観る。世界というドラマの意味を観る。宇宙という舞台の神聖さを観る。そのとき「私」は、宇宙の作者の世界に創造的に参入することができるか？

もうすぐ二〇〇一年。なんてこった。三十年前にはSFのように遠い未来だと思っていた本物の二〇〇一年が来るとは。ディスカバリー号のボウマン船長が観たのと同じ星々を、リアルタイムで観ることができるのだ。ぼくらは今、二十世紀という劇場を一歩踏み出す瞬間にめぐり合わせている。

二〇〇一年、宇宙は何を観せてくれるのだろう。映画のラスト、スクリーンいっぱいにまばたきするボウマン船長の瞳は、そのままぼく自身の瞳である。

結ぶ

「結婚」とは、読んで字のごとく夫婦の縁を結ぶこと。ばらばらだった二人が、家族という結び目を作ること。これがなかなか難しい。靴ひもじゃないけれど、きちんと結んだつもりでも、いつの間にかほどけかかっていたりする。夫婦はもちろん、親子、兄弟、嫁姑、どうしたら、うまく結べるんだろう。

そもそも、家族って何だろうと、考えてみる。一つの集団を、これは確かに家族だといえる条件って、何だろう。辞書を引くと、「同じ家に住み生活を共にする血縁の人々」とある。しかしこれは、ちっとも家族の本質を表していない。第一、単身赴任やら大学の寮生活やらで同じ家に住んでいない家族なんかいくらでもいる。血縁というのも、厳密にいえば夫婦や養子、連れ子などは血がつながっていないし、それじゃ法律上の戸籍が家族かというと、入籍していない夫婦もいれば、家族同然の同居人がいるケースだって珍しくない。逆に「同じ家に住んでいる血縁」でありながら、とても家族とは呼べないほどばらばらにほどけてしまっている集団が増えているのが現状ではないか。

老人ホームの面会簿には必ず続柄を記入する欄があって、ぼくなんかは「神父」とか「知人」などと書くのだが、何気なく他の面会者の欄を見ると、99％が「妻」や「息子」など、家族である。そこでハタと気づかされる。家族とは、その人がどういう状態になろうとも関係をもち続ける人たちの集いといえるのではないか。その人が病気になろうがボケようが、犯罪を犯そうが精神を病もうが、要するにその人とかかわることがどんなに面倒で疲れることになろうとも、共にあろうとする人たち。家族とはそういう集いなのではないか。

ボケたからといって、施設に入れたきり一度も面会に行かないならば、それはもう家族とは呼べないだろう。都合のいいときに結び、都合が悪ければほどくような関係は家族ではない。教会の結婚式で「順境にあっても逆境にあっても、病気のときも健康なときも生涯愛し合う」と誓うのは、対立しようとも、感情がすれ違おうとも、相手がどれほど負担になろうとも、生涯共にあろうとする、すなわち、「家族のご縁」を結ぶ誓いなのである。

結ばれるご縁のすばらしさを知れば知るほど、結び目は固くなっていく。

休む

「もしもしカメよ」のうたで有名な、ウサギとカメの駆けくらべ。結果はご存じのとおり、ウサギさんがひと休みしている間も休まず走り続けたカメさんが勝つ。かつて高度経済成長下、勤勉が最高の美徳だった時代には、このカメさんが理想であり、模範だった。しかし、時代は変わった。今ならば、競争もそこそこにひと休みしている、ウサギさんに共感する人も多いのではないだろうか。たしかに、素敵な休み方をしている人は、例外なく魅力的な人だ。

辞書で「休む」と引けば、「①活動を中止する」とある。すなわち、中止しなければ休みではない。仕事も勉強もつきあいもきっぱりと断ち切って、自由にならなければならない。きちんと休める精神とは、日常を超えた世界に憧れ、自分を超えて開かれていきたいと願う、しなやかな精神でもある。

どんな立派な活動でも、一つの決まった世界の中で決まった目的の下に行われている以上、それは時に一つの自閉空間をつくりだしてしまう。もちろんだれもが仕事をしなければ生きていけないが、それだけで生きられるものでもない。休むときにこそ初めて、人は他者の世界、未知の宇宙と出会うのであり、その豊かな出会いによってこそ人は生かされている。

休みとは仕事のための休息時間ではない。目的・効率・努力・評価などに縛られた自閉空間といったん縁を切り、自分を生かす出会いを求めて旅立つことなのだ。成績がどうの、収入がどうの、忙しくてどうのといっている場合じゃない。ことは、一人一人の魂の生き死ににかかわる問題なのだから。本当に生きるためには、昇進にかけるのと同じ情熱を休むことに注ぐべきだし、家事に費やすのと同じエネルギーを休みに費やさなければならない。

夏休みを思い出してほしい。天には純白の雲の峰がそびえたち、地を名も知らぬ虫が這（は）いまわる、あの夏の日々。偶然出会った友だち。不思議な自然現象。自らのうちに潜む残酷。独りぼっちの空想。壮大な無駄ともいえる豊かな時空の中で出会ったものが、今の自分をつくりあげてきた。だれもが、休みのときに成長していく。休みを削ることは自分自身の未来を削ることだ。

病む

長いこと膝が痛むので、ある日病院に行った。ごく軽い気持ちで行ったのだが、医者はレントゲン写真をかざしながら、顔をしかめていった。

「大腿骨内部に、かなり大きな腫瘍があります。手術してみないと分かりませんが、ガンの恐れもある。ことによっては、脚部の切断もありえます」

気の弱いぼくは、血の気が引いた。突然世界が遠くなったような気がした。

病は、突然やって来る。まるで不条理劇のように。人はそこに運命の悪意のようなものを嗅ぎ取っておびえる。たぶん病が怖いというよりも、病の無意味さが人を恐怖させるのだ。ぼくの場合は結果的には腫瘍は良性で、摘出手術も成功して全快したけれど、あの、病の足音の空虚な響きは忘れられない。

しかし。初めての大きな手術と入院生活を終えた今、ぼくには一つの確信が生まれた。病は悪運ではない。どんな病も決して無意味ではない。

入院して分かったこと、その一。入院患者はニューステーションを見られない（夜九時消灯だから）。その二。目をつぶっていても見舞客の靴音はすぐ分かる（医者や患者はスリッパかサンダルばき）。その三。全身麻酔は死と復活の体験。入院は人生最高の転機。病のときは、気づきの恵みのとき。

病気になって、人は自らの傲慢を思い知る。生きているのではなく生かされているのだと知る。病気になって、人は他人の情けを知る。家族、友人、医者や看護師、同病者とのまごころの交流を知る。病気になって、人は真の感動を知る。食べられる有り難さ、歩ける喜び、新しい朝を迎える不思議を知る。病気になって、人は生きる意味を知る。治ろうが治るまいが、今自分がこの星に存在することの意味、愛の尊さ、いちばん大切なものをついに発見する。元気なときには気づけなかった神秘に触れる。それはまさしく、病の幸運である。

病室で痛みを耐え、不安と戦い、孤独の中で祈りながらも、ぼくは不思議な安らぎを感じていた。奇妙に聞こえるかもしれないが、なぜかようやく、来るべきところに来たというような安心感さえあった。そこは最も忌まわしい場所でありながら、最も祝福された場所のようでもあった。

あの六階の６２７号室は、ぼくにとっては聖堂だったのだと思う。

喜ぶ

ディズニーランドは人を喜ばせるのが上手だ。シンデレラ城を中心に夢の世界を作り上げ、数々のアトラクションでわくわくドキドキさせる。ショーやパレードによる演出も忘れず、いかにみんなを喜ばせるかを本気で考えている。だからディズニーランドで遊んでいる人はだれでも、心から楽しそうな、いい顔をしている。すべてはディズニーランドの生みの親であるウォルト・ディズニーという人が、人を喜ばせるのが好きだったということにつきるだろう。みんなが喜ぶのを見て、ディズニー自身もニコニコ顔だったにちがいない。

さて、ディズニーランドでの夢のひとときが終わり疲れて我が家に帰ってくると、そこはつまらない現実で、また退屈な日々が始まるのかとため息をつくなんて人も、あるいはいるのかもしれない。が、その気になって見回せば、実はこの星全体が、ディズニーランドなんか比べものにならないほどの夢の世界なのではないだろうか。北極のオーロラから赤道直下のジャングルまで、雨上がりの虹から庭先のアゲハチョウの舞まで、無数のアトラクションに満ちているのではないだろうか。どんな豪華なショーもパレードも、この星でだれかと心を通わせ合い、優しい気持ちで共に過ごすひとときの深い喜びにはかなわない。いかに精巧なロボット仕立てのキャラクター人形を動かそうとも、子犬一匹の誕生の感動にはかなわない。毎日のようにすばらしい出会いがあり、新しい発見があり、わくわくドキドキの連続なのではないだろうか。

これはつまり、この星は人を喜ばせるようにできているということだ。この星の生みの親は、ディズニーさんの百万倍くらいみんなを喜ばせることが好きで、そのためにこそすべてを造り、用意したということなのだ。

ディズニーランドへ人は皆、喜び楽しむために行く。同じように、いやそれ以上に、この星へ人は皆、喜び楽しむために招待されたのである。試練に遭って生きる元気をなくしている人は、ディズニーランドの入り口で転んでうずくまっている人のよう。その先の喜びを、まだ何も知らずに。そんなとき、この星の生みの親はその人をそっと抱き起こして、「よしよし、いいからもうちょっと先に行ってごらん」という。ディズニーさんのようなニコニコ顔で。

笑う

「よくぞこの星に生まれけり」。みんなで笑っているときにつくづくそう思う。笑うのは健康に良い。心身の緊張をとき、ストレスから解放する。笑いにはさまざまな病気に関して驚異的な治療効果があり、ガンの予防効果まであるそうだ。まさに、笑う門には福来る。

精神医学で説明するならば、笑いは矛盾の克服ということになる。精神が、理解しがたいものや予想もしなかったことと出会ったときに、そこに生じる緊張を解消する反射的行為として笑いが生じるらしい。なかでもフロイトは、心の表層と深層の矛盾に注目し、普段は触れ合わない両者が瞬間的にショートしてスパークした状態が笑いであると説明した。

なるほど、と思い当たる。たとえば、オヤジが息子を叱っている。

「そんな生活態度で、まともな学校に行けると思ってるのか？　人生そんなに甘いもんじゃないぞ……」

と、その瞬間、オヤジが「プッ」とオナラをする。息子は思わずクスッと笑い、オヤジもつられて笑いだし、「もういい！」なんてことになる。

息子は心の底で（エラそうなことというけど、オヤジはどうなの？）と思い、オヤジの心の奥にも（オレだって遊んで暮したいよ）というホンネがあり、それが一発のオナラでタテマエの表層部分とショートして、笑いのスパークが起こるわけだ。

深層のホンネを抑圧しているのは、人生の健康に悪い。心の奥底に棲んでいて、理性では飼いならせない野性の自分自身を、笑いで解き放ってあげよう。そうして自分の弱さを笑い、他人の偽善を笑い、人間の愚かさを笑うことは、とっても健康なことなのだ。病んで硬直した精神は笑えない。家庭にしろ、職場にしろ、そのチームが健康かどうかは、メンバーが自他の過ちを笑って受け入れ合っているかどうかですぐ分かる。みんなカッコつけずに、もっと笑い合えればいいのに。だれもが百の説教より、一発のオナラを待っているのだから。

心の底から笑い合った瞬間は、どんなに時間をかけた議論でも得られなかった共感がわきあがり、だれもが本当にいい顔をしている。

あとがき

ぼくは、カトリックの神父である。当然、神を信じている。

しかし、神ということばには人それぞれのさまざまな宗教的イメージがつきまとっているために、ぼくが幼いころから慕い、親しんでいる「あのおかた」をいい表すのにはふさわしくないと、いつも感じている。

この星を生み育て、今も創造し続けている、いのちの源。このぼくを生み育て、今も愛している、まことの親。それを安易にひとこと「神」と呼んでしまうのでは、そのすばらしさをみんなと分かち合えないような気がする。特定の信仰をもたない人や、信仰をもっていてもどこかしっくりこない人に、人間の作った枠組みや教えを超えた、本物の神とその愛を、少しでも味わってもらえたら。そして、今まさにいやしと希望を求めている人への、喜びの知らせになってくれたら、という願いが、この本に込められている。

したがって、本文の中には「神」ということばはただの一度も出てこない。およそ神父が神の愛について書いた本で、神ということばが一度も出てこない本なんて、世界初なのではないだろうか。この本になにがしかの意味があるとするならば、たぶんそのへんだろうと思う。

そもそもは、オリエンス宗教研究所発行の雑誌「こじか」に連載したものをもとに、大幅に加筆訂正してまとめたものである。出版するように勧めてくださった「こじか」編集部の森てる子さんに感謝したい。またこの本が生まれるお手伝いをしてくださった女子パウロ会編集部のシスターに感謝したい。

最後に、かねてより大ファンだった菊地信義さんが自分の本の装幀をしてくださったことが、ぼくにとっては夢のようにうれしいできごとであることを特記して、謝意を表したい。

晴佐久昌英

一九九六年十二月

晴佐久昌英（はれさくまさひで）
1957年東京生まれ。1987年司祭になる。現在、カトリック多摩教会で司牧。
著　書『生きるためのひとこと』『おいでよ』『だいじょうぶだよ』
『幸いの書』『十字を切る』『おさなごのように』
電子本『だいじょうぶだよ』『十字を切る』『星言葉』
『生きるためのひとこと』『おさなごのように』
（女子パウロ会）

星言葉

著者—晴佐久昌英

発行所—女子パウロ会　代表者—井出昭子

〒107-0052 東京都港区赤坂8-12-42
Tel.(03)3479-3943　Fax.(03)3479-3944
webサイト https://pauline. or. jp

初版発行—1997年1月5日
29刷発行—2021年4月6日

印刷所—株式会社工友会印刷所

ISBN978-4-7896-0468-0 C0095
NDC914 19cm